Carsten Jordan

KEIN JOB FÜRS EGO

Interim Management:
Das Wesentliche im Fokus

© 2020 Carsten Jordan

Umschlag, Illustration: Daniel Urban
Weitere Mitwirkende: Markus Coenen - www.twentyseconds.de

Verlag & Druck: tredition GmbH, Halenreie 40-44, 22359 Hamburg

ISBN
Paperback   978-3-347-18257-8
Hardcover   978-3-347-18258-5
e-Book   978-3-347-18259-2

Bibliografische Information der Deutschen Nationalbibliothek:

Die Deutsche Nationalbibliothek verzeichnet diese Publikation in der Deutschen Nationalbibliografie; detaillierte bibliografische Daten sind im Internet über http://dnb.d-nb.de abrufbar.

Bildquellen:

Banana Oil/Shutterstock.com, Rawpixel.com/Shutterstock.com, Michael D Brown/Shutterstock.com, bookzv/Shutterstock.com, PThira89/Shutterstock.com

Weitere Informationen zum Autor:
www.consulting-interim.de

Inhaltsverzeichnis

Vorwort

Wenn sich jemand entscheidet, ein Buch zu schreiben, kann dies die unterschiedlichsten Gründe haben. Einmal abgesehen von Büchern, die ausschließlich unterhalten sollen, dürften alle anderen eine Botschaft vermitteln wollen.

Schon während des Schreibens erhielt ich viel Feedback, das nicht selten in die gegensätzlichen Richtungen ging. Es zeigt, wie stark die Wahrnehmungen abweichen können und wie deutlich die Erwartungen sich unterscheiden. Für mich war das Anlass genug, gleich zu Beginn darauf einzugehen.

Einige verstehen die Bedeutung des Buchtitels und finden ihn gut, andere können damit nichts anfangen und halten ihn für nicht geeignet.

Fragen wie „Wer ist die Zielgruppe?", „Welcher Nutzen ergibt sich für den Leser?", „Was soll vermittelt werden?" wurden genauso gestellt wie die geäußerten Erwartungen. Oft wurde eine vollumfängliche, im besten Fall wissenschaftliche Aufarbeitung des Themas „Interim Management" erwartet. Dieser Anspruch kann durchaus berechtigt sein. Mein Anspruch war im vorliegenden Fall hingegen ein anderer, was verschiedene Gründe hat. Auf der einen Seite wollte ich kein Fachbuch im klassischen Sinn schreiben, das in dieser Form für weniger Lesern von Interesse sein dürfte und deshalb einen begrenzten Leserkreis anspricht. Auf der anderen Seite empfand ich es als wesentlich reizvoller, mit dem Buch einen Mehrwert für eine möglichst breite Leserschaft zu generieren.

Aus diesem Grund war meine Intension, das Thema „Interim Management" aus einer ungezwungenen Sichtweise darzustellen und es auf diese Weise nicht nur einigen Spezialisten zugänglich zu machen, sondern allen, die es interessiert, oder für einen Personenkreis, der sich mit der Frage beschäftigt, ob Interim Management auch für ihn eine Option sein könnte. Dabei kann es sich um Entscheider in den Unternehmen handeln oder Menschen, die selbst den Weg einschlagen möchten. Aber auch Führungskräfte ganz allgemein, können von dem Wissen und den Erfahrungen profitieren sowie Anregungen finden, die ich in diesem Buch darstellen möchte. Aus meiner Sicht bietet Interim Management deutlich mehr, als es zunächst vermuten lässt.

Meiner Überzeugung nach trägt ein Großteil der Menschen ein umfangreiches Wissen und spannende Erfahrungen in sich, woraus sich eine wissenswerte Botschaft formulieren lässt, die es sich lohnt darzustellen. Die daraus resultierende Kommunikation ist letztendlich immer auch Einflussnahme und die Bereitschaft Stellung zu nehmen, die auch entsprechende Angreifbarkeit mit sich bringt. Mein Ziel ist es, diese Einflussnahme mit diesem Buch im positiven Sinn zu nutzen und einen Beitrag für gute Führung und Abläufe in den Unternehmen zu leisten sowie den Stellenwert von Interim Management weiter in die öffentliche Diskussion zu bringen.

Bei dem vorliegenden Buch handelt es sich nicht um einen „Erfahrungsbericht", sondern es wird immer wieder auf fundiertes Fachwissen zurückgegriffen. Auf diese Weise soll die Qualität sichergestellt werden. Trotzdem stellen meine Beobachtungen, Erfahrungen und deren Interpretationen einen wesentlichen Pfeiler dar, der die dargestellten Thesen verdeutlichen soll. Dies geschieht immer in dem Wissen, dass Erfahrung das Gegenteil von Objektivität ist. Es ergibt sich also eine Kombination aus persönlichen Hintergründen, Fachwissen und wissenschaftlichen Erkenntnissen. Die verschiedenen Aspekte sollen sich gegenseitig ergänzen und durch deren Symbiose ein Gesamtbild ergeben. Dieses Konstrukt möchte dem Leser die Gelegenheit bieten, seine eigenen Erfahrungen und Beobachtungen zu reflektieren und entsprechend Schlüsse daraus zu ziehen.

Wie kam es zu diesem Buch und was sind die Hintergründe?

Das Leben wird immer mal wieder mit einer Reise verglichen. Ein Vergleich, den ich als sehr treffend empfinde. Mit jedem Jahr kommen neue „Geschichten" hinzu, sodass sich im Laufe der Jahre das Buch des Lebens füllt. So entsteht eine große Summe an wertvollen Erfahrungen, die sich über die Zeit angesammelt haben. Wie umfangreich diese sind, hängt mehr oder weniger von jedem selbst ab.

Auf das Berufsleben bezogen verhält es sich ähnlich. Am Anfang steht die Frage des Berufs an sich. Für den einen ist es schon immer klar gewesen, in welche Richtung es gehen soll, und für andere ist es eher eine Frage, die sich nur schwer beantworten lässt.

Was meinen Weg betrifft, führte er mich in eine Facharbeiterausbildung. Es war die Zeit der geburtenstarken Jahrgänge und Ausbildungsplätze waren eher schwer zu bekommen. Handwerkliches Geschick brachte ich von Haus aus mit und so war die Entscheidung aus pragmatischen Gründen bald getroffen.

Die Ausbildungszeit sind wahrlich keine Herrenjahre gewesen. Die Arbeit war schmutzig und oft hart, und so erinnere ich mich noch gut, wie ich zu gerne die Ausbildung abgebrochen hätte. Aber was dann? Und aufgeben, eher nicht! Das dürfte eine der entscheidenden Fähigkeiten sein, um etwas zu erreichen und erfolgreich zu sein; durchhalten!

In dieser Zeit reifte bei mir auch der Entschluss, es nicht bei der Ausbildung zu belassen und mich weiter zu entwickeln, andere Möglichkeiten ergreifen zu können.

So begann ich also, das Buch meines Berufslebens zu starten. Bis heute ist es schon weit fortgeschritten, aber längst noch nicht fertig. Inzwischen sind seitdem 35 Jahre vergangen.

Das ständige Weiterentwickeln und die Suche nach neuen Herausforderungen sowie der Anspruch, die Grenzen laufend zu verschieben und zu erweitern, sind für mich der Ansporn geworden.

In den verschiedenen Unternehmen, in denen ich tätig war, machte ich Beobachtungen, die sich wiederholten – und das unabhängig von der Größe und Branche. Es mussten also Gesetzmäßigkeiten existieren, die ich immer weiter hinterfragte, um sie besser zu verstehen.

Auf meinem beruflichen Weg bin ich unzähligen Menschen begegnet. Viele davon haben mich sehr bereichert und wir sind bis heute in Kontakt.

Aber auch die Menschen, die ich zunächst als nicht so angenehm empfunden habe, haben einen großen Anteil an meiner Entwicklung und an den Geschichten für das „Buch meines Berufslebens".

Es lag also nahe, diese Geschichten und die daraus resultieren Erfahrungen, sowie Erkenntnisse, auch in einem Buch festzuhalten. Wie so vieles reifte der Gedanke schon seit langer Zeit und das Vorhaben faszinierte mich zunehmend.

Es benötigte also nur noch einen Anstoß, einen Auslöser. Dieser Auslöser kam dann im Juni 2019, als Herr Markus Coenen mich kontaktierte. Da ich sehr beschäftigt war, vertröstete ich ihn auf den Herbst. Als ich ihn, wie zugesagt, dann wieder kontaktierte, ging alles sehr schnell und wir starteten mit dem vorliegenden Buch im Dezember 2019 mit einem Workshop auf Mallorca.

Zunächst war der Schwerpunkt noch nicht ganz klar, was sich sehr bald ändern sollte.

Es würde nicht noch ein zusätzliches Buch über Mitarbeiterführung, Lean Management, Restrukturierung oder Coaching etc. werden, sondern es würde um das Thema Interim Management gehen und wie Interim Management sich aus meiner Sicht darstellt. Dabei ist vielleicht eine Interpretation herausgekommen, wie es u. U. eher unüblich ist. Aber gerade das sollte den Unterschied machen, da ausgetretene Pfade wenig Neues hervorbringen, einen geringen Reiz ausüben und eher uninteressant sein dürften.

Interim Management ist ein weites Feld, das im vorliegenden Fall die aufgezeigten Gesichtspunkte mit den vielen Beobachtungen, die ich in der langen Zeit während meiner Führungstätigkeit gemacht habe, und dem in diesem Zusammenhang erworbenen Fachwissen zusammenbringt. Ergänzt und abgerundet werden die Darstellungen durch Erkenntnisse aus der Wirtschaftspsychologie.

Es geht in erster Linie darum, Denkanstöße zu geben sowie Ansätze und Thesen zu formulieren, wie Interim Management erfolgreich Anwendung findet und den größtmöglichen Nutzen bringt.

Letztendlich sind die oben genannten Aspekte im Interim Management vereint und bilden die Grundlage für diese Aufgabe. Nicht ohne Grund sind die meisten Interim Manger älter als 45 und bringen viel Erfahrung aus einer großen Zahl von Unternehmen mit.

Für einige ist es der letzte Ausweg, um einer Arbeitslosigkeit zu entgehen, aber für die meisten ist es der Königsweg, um ihre Kompetenzen und Erfahrungen im vollen Umfang einzubringen. Ein Weg, der wie für mich aus Überzeugung gewählt wurde.

Weiterhin stellt das Buch ein Plädoyer für den wertschätzenden und konstruktiven Umgang mit den Mitarbeitern dar, was als Weg zum Erfolg und als echten Wirtschaftsfaktor angesehen werden kann. Es möchte damit auch einen kleinen Beitrag für diese Sichtweise und Vorgehensweise leisten, was nicht zu verwechseln ist mit dem Versuch, es jedem recht zu machen.

Aus diesem Grund dürfte das Buch auch für alle von Interesse sein, die sich für diese Art der Mitarbeiterführung aussprechen und ihren Führungsstil weiter optimieren und voranbringen möchten.

Danksagung

Bevor es losgeht, möchte ich mich noch bei all den Menschen bedanken, die mich auf diesem Weg begleitet und dieses Buch durch ihre Unterstützung erst möglich gemacht haben. Da steht an erster Stelle meine Familie mit meinen Söhnen Nic und Luc, aber im Besonderen meine Frau Wega, die mir nicht nur während der Zeit, in der dieses Buch entstanden ist, den Rücken freigehalten hat, sondern auch bereits in den Jahren zuvor, als ich die Erfahrungen aufgebaut habe, die in dieses Buch eingeflossen sind. Sie hat stets an mich geglaubt und ermutigte mich, diese Herausforderung anzunehmen. Während der ganzen Zeit stand sie mir mit ihren Einschätzungen und ihren Hinweisen zur Seite, wodurch sie einen großen Anteil an der Entstehung dieses Buches hat.

Auch meinen Eltern gilt ein besonderer Dank, da sie die Grundlage für alles, was mein Leben ausmacht, gelegt haben, und besonders meiner Mutter, die seit Ende 2018 leider nicht mehr unter uns ist. Ohne ihre bedingungslose Unterstützung hätte mein Leben sicher eine andere Richtung genommen und dieses Buch wäre nie entstanden.

Besonderen Dank möchte ich auch Markus Coenen zukommen lassen. Ohne dass er auf mich zugekommen wäre und seiner fortlaufenden Ermutigung, das Buch zu schreiben, hätte es sicher kein Buch in der Form gegeben. Mit seiner Expertise und seiner Geduld stellt er einen wesentlichen Pfeiler dieses Werkes dar.

Carsten Coenen danke ich für die Unterstützung bei der Ausarbeitung von Layout und der formellen Anteile des Covers.

Bei Frau Daniela Urban möchte ich mich für das überaus treffende und ansprechende Buchcover sowie die Illustrationen im Buch bedanken. Sie gibt dem Werk mit ihrer Arbeit eine besondere Note und wertet so die Ausführungen deutlich auf.

Dem Verlag tredition GmbH danke ich für die Umsetzung des Buches und das entgegengebrachte Vertrauen.

Auch Bert Overlack und Alexander Horn möchte ich danken. Er gab mir wichtige Hinweise aus seiner eigenen Erfahrung als Buchautor und durch seine positive motivierende Art unterstützte auch er mich sehr.

Dr. Herbert Becker und Heide Wiebler möchte ich für ihre wohlwollenden Hinweise danken. Auf diese Weise haben sie einen Einfluss auf dieses Buch genommen und es mitgestaltet.

Dank gebührt auch meiner Schwester Karin Schulze, die mit ihren Fragen, Anregungen und Hinweisen wichtige Impulse gegeben hat.

Bedanken möchte ich mich auch bei Angelika Dietsch, die sich im Vorfeld bereit erklärt hat, das Buch zu lesen und mir Hinweise auf Fehler und Formulierungen zu gegeben, sowie ihren Eindruck widergespiegelt hat.

Bedanken möchte ich mich auch bei allen, die hier nicht aufgeführt sind und mir im Vorfeld Feedback gaben oder mich durch ihr Interesse motivierten sowie in irgendeiner Weise einen Beitrag zur Entstehung dieses Buchs geleistet haben.

Einleitung

Liebe Leserin, lieber Leser, es freut mich sehr, dass Sie sich für dieses Buch entschieden haben! Vielen Dank für Ihr Vertrauen!

Für eine leichtere Lesbarkeit beschränke ich mich auf die männliche Form. Ich bitte hier um Ihr Verständnis und ich möchte auf keinerlei Weise die weibliche oder diverse Form damit ausschließen.

Dieses Buch wendet sich an diejenigen, die sich mit dem Thema Interim Management etwas näher auseinandersetzen möchten und sich fragen, was sie überhaupt zu erwarten haben, wenn sie sich für einen Interim Manger oder für diesen Weg entscheiden. Wie in jedem Fachbereich oder vielleicht auch in jedem Bereich des Lebens gibt es viele Meinungen und Ansätze, auch zum Thema Interim Management. Im vorliegenden Fall geht es mir vorwiegend darum, meine Sicht auf das Thema darzustellen und Anregungen zu geben, wie man mit Hilfe von Interim Managern einen nachhaltigen Beitrag für ein Unternehmen leisten kann, das sich in einem Umfeld eines nie dagewesenen Umbruchs und starker Veränderungen behaupten muss.

Dabei besteht nicht der Anspruch auf Vollständigkeit, dennoch habe ich mich stets bemüht, auf hohe Qualität zu achten.

Besonderes Augenmerk liegt bei der Betrachtung auf dem Zusammenspiel von Technik, Betriebswirtschaft, Mitarbeiterführung und Wirtschaftspsychologie. Jede Sichtweise ist als Ergänzung zu sehen und schließt die jeweils andere nicht aus. Sie unterstützen einander, anstatt sich zu widersprechen. Meine Erfahrung als Praktiker, Führungskraft und die Fachkenntnisse aus der Wirtschaftspsychologie waren bei diesem Vorgehen sehr hilfreich und bilden die Basis für diesen Ansatz.

Zunächst möchte ich noch kurz auf das Verständnis von Interim Management eingehen. Es ist weit mehr als nur das Überbrücken einer Vakanz, bis die Position mit einem Festangestellten besetzt wird.

Ein Interim Manager, der diesen Weg aus Überzeugung eingeschlagen hat, sieht seine Aufgabe immer darin, sich selbst überflüssig zu machen, und ist somit auch nicht darauf aus, „jobsichernde" Maßnahmen zu ergreifen. Der Interim Manager kann sich mit all seinen Ressourcen auf die Aufgabe bzw. auf die Sache konzentrieren. Hier ist auch der Brückenschlag zum Titel dieses Buches. Diese Botschaft ist mir eines der zentralen Anliegen. Ein Interim Manager ist ein selbständig tätiger Unternehmer und nicht, wie immer noch oft gedacht, eine andere Form eines Mitarbeiters. Er trägt das volle unternehmerische Risiko für sein Handeln und muss so wesentlich mehr berücksichtigen, als wenn er angestellt wäre. Er denkt und handelt nicht nur anders, sondern ist auch darauf angewiesen, es zu tun. Er bringt die Bereitschaft mit, sich universeller bzw. breiter aufzustellen und mehr Risiko einzugehen.

Damit eröffnen sich für den Interim Manager bei seiner Tätigkeit andere Möglichkeiten, die einem festangestellten Mitarbeiter, der auf langfristige interne Zusammenarbeit angewiesen und dessen Ziel langfristige Sicherheit im Job ist, so meist nicht zur Verfügung stehen.

Für einen Interim Manger steht der Erfolg der Sache, also des Auftrags, im Vordergrund, bei dem Prestige und sein Ego im Hintergrund stehen sollten.

Es darf an dieser Stelle auch nicht verschwiegen werden, dass es immer wieder Personen am Markt gibt, die Interim Management dazu nutzen, Lücken im Lebenslauf zu schließen. Sie haben damit diesen Weg nicht aus Überzeugung eingeschlagen und sind eher darauf aus, wieder eine Festanstellung zu erhalten. Sie werden ein Angebot zur Festanstellung bevorzugen, soweit sich ihnen diese Möglichkeit bietet. Das dürfte aber, wie bei vielen Freiberuflern auch, die Ausnahme darstellen und kann somit nicht verallgemeinert werden. Leider wirft diese Vorgehensweise teilweise ein schlechtes Licht auf die Gesamtheit der Interim Manager. Dennoch kann der Weg in die Festanstellung durchaus auch für einen überzeugten Interim Manager eine sinnvolle Möglichkeit darstellen. Der Interim Manager als potenzieller Mitarbeiter und dem engagierenden Unternehmen bietet es unter entsprechenden Rahmenbedingungen zusätzliche Optionen. Aufgrund von Wirtschaftskrisen, wie sie beispielsweise durch die Corona-Pandemie ausgelöst wurden und in Folge dessen mit einem nahezu vollständigen Zusammenbruch des Interim Marktes in einigen Bereichen und Branchen, kann eine Entscheidung für die Festanstellung für Unternehmen und Interim Manager von Vorteil sein. Hierin liegt ein weiterer Beweis für die hohe Flexibilität der Interim Manager.

Die meisten überzeugten Interim Manager werden allerdings ein Stellenangebot im Normalfall ausschlagen. Daher ist die Option zur Festanstellung für beide Seiten meist nicht die erste Wahl. Im Regelfall wird ein Unternehmen einen Interim Manager zur Überbrückung einer Vakanz und/oder der Umsetzung schwieriger Projekte an Bord holen. Auf diese Weise ist es dem Unternehmen möglich, mit der nötigen Ruhe und unter Berücksichtigung der erforderlichen Zeit den passenden Mitarbeiter ausfindig zu machen, der dann die Position langfristig ausfüllt.

Mein Anliegen mit diesem Buch ist es auch, Raum für Diskussionen zu schaffen, die den Mitarbeiter als Drehscheibe des Erfolgs – auch für den Interim Manager – sehen, und Verständnis für diese Sichtweise zu erzeugen, um Veränderungen anzustoßen und zu begünstigen, ohne dabei andere Aspekte wie „harte" Fakten zu vernachlässigen.

Ein Unternehmen muss Profit abwerfen, da Profit im Regelfall die Berechtigung für dessen Existenz ist. Diese Tatsache wird immer mal wieder kritisiert. Dabei wird von den entsprechenden Kritikern oft nicht berücksichtigt, dass auch Löhne und Gehälter für die Mitarbeiter Profite sind, die sie für ihren Lebensunterhalt benötigen. Aber auch die sogenannten kleinen Anleger und Fondssparer, die ihrerseits meist wieder Arbeitnehmer sind, erwarten Profite von ihren eingesetzten Geldern. So betrachtet sollte das Thema als positiv angesehen werden, da es ja nicht zuletzt Existenzen sichert. Die Kehrseite ist sicher das manchmal rücksichtslose Gewinnstreben auf Kosten anderer oder der Allgemeinheit.

Aus dem geschilderten Grund sind Veränderungen, Verbesserungen und Optimierungen die Eckpfeiler, nicht nur für den unternehmerischen, sondern auch für den gesellschaftlichen Erfolg, und werden ebenfalls als positiv und erstrebenswert angesehen.

Da Nachhaltigkeit zunehmend eine Anforderung an die Unternehmen darstellt, ist die Verbindung mit der Gesellschaft und damit die Art des Umgangs mit den Mitarbeitern ein Erfolgsfaktor. Besonders im Bereich Mitarbeiterführung sehe ich hier noch erhebliches Potenzial. Trotz der zahlreichen Erkenntnisse aus der Forschung und Wissenschaft wird von vielen Führungskräften noch vorwiegend auf Druck und Angst gesetzt. Dies führt unweigerlich dazu, dass sich das Potenzial der Belegschaft bei weitem nicht entfalten kann und so als zentraler Erfolgsfaktor ungenutzt bleibt. Das Rollenverständnis der Mitarbeiter driftet ab in Richtung der Bedeutungslosigkeit, was entsprechendes Verhalten wie fehlende Flexibilität, Loyalität und hohen Krankenstand begünstigt. Schon länger bin ich davon überzeugt, dass die Art und Weise, wie Mitarbeiter geführt werden, Auswirkungen auf das gesellschaftliche Miteinander hat. Stress und Angst werden nicht an den Werkstoren abgegeben.

Ziel muss es also sein, die Mitarbeiter stark und erfolgreich zu machen. Schwache Führungskräfte fürchten hingegen starke Mitarbeiter. Aber nur wenn ein Mitarbeiter stark ist und versteht, was er tut bzw. was seine Aufgabe ausmacht und es ihm auch gestattet ist, kann er diese Aufgabe vollständig und auf Dauer ausfüllen.

Oft wird auch das Akronym „ZDF", also „Zahlen, Daten, Fakten" verwendet, um Strukturiertheit und klare quantitative Aussagen zu signalisieren bzw. einzufordern. Allzu oft geraten dabei die Mitarbeiter, die diese Fakten schaffen müssen, in den Hintergrund. Immer wieder führt es zu Ratlosigkeit, wenn die gewünschten Fakten dann nicht erreicht werden, da dieser eigentlich selbstverständliche Aspekt nicht ausreichend oder nicht richtig berücksichtigt wird. Die Mitarbeiter nehmen damit eine Schlüsselrolle ein, da über sie der Weg zu den gewünschten „ZDF" führt.

Die sogenannten „weichen Faktoren" sind deshalb untrennbar mit „ZDF" verbunden und stellen einen wesentlichen Erfolgsaspekt dar. „ZDF" und „weiche Faktoren" sind jeweils eine Seite derselben Medaille. Da die „weichen Faktoren" oft nicht klar greifbar und durch ihre Komplexität deutlich schwieriger messbar sind, meiden einige diesen wichtigen Punkt und lassen ihn in ihrer Vorgehensweise unberücksichtigt. Eine der wesentlichsten Ressourcen im Unternehmen bleibt so außen vor und wichtige Möglichkeiten bleiben ungenutzt.

Mitarbeitereinbindung schließt konsequentes Handeln in keinerlei Weise aus. Es kann auch wertschätzend sein, offen Feedback zu geben, auch wenn dies anders ausfällt, als es vom Mitarbeiter erwartet wird.

Dann möchte ich noch auf das Thema Glaubenssätze eingehen. Glaubenssätze geben Stabilität und Sicherheit. Sie können aber auch Horizonterweiterungen verhindern und so potenziell erforderlichen Veränderungen und Innovationen im Wege stehen.

Was das alles mit Interim Management zu tun hat? Darauf werde ich später noch näher eingehen.

Neben dem eigentlichen Thema Interim Management werde ich aber auch auf Aspekte, die darüber hinausgehen bzw. die Basis für die Arbeit eines Interim Mangers darstellen, eingehen. Im Interim Management bündeln sich letztendlich umfangreiche Erfahrungen aus dem Berufsleben als Führungs- oder Fachkraft. Sie dienen als Grundlage und Voraussetzung für den später gezeigten Weg. Hierdurch soll die gewählte Vorgehensweise verdeutlicht werden.

Selbstverständlich ist aber auch, dass die zu bewältigende Aufgabe bzw. der Auftrag des Kunden diese Vorgehensweise stark beeinflusst und vorgibt.

Nun wünsche ich Ihnen aufschlussreiche Unterhaltung mit dem Buch und ich freue mich auf zahlreiche Rückmeldungen und Anregungen von Ihnen!

4 Worum geht es beim Interim Management?

4.1 Warum ein Interim Manager sich selbst überflüssig machen sollte?

Wie der Name schon sagt, ist ein Interim Manger ein Manager auf Zeit. Im idealen Fall handelt es sich dabei, wie bereits beschrieben, um das gemeinsame Verständnis. Es ist also beiden Parteien klar, dass es sich um einen gemeinsamen Weg für ein gemeinsames Ziel auf Zeit handelt. Nur wenn das der Fall ist, können die Vorteile eines Interim Managers voll genutzt werden. Der Interim Manger ist in dem Moment nur noch dem Erfolg verpflichtet und wird dabei nicht durch die Sicherung seines „Jobs" behindert. Er kann sich also vollständig auf die Sache, auf das Wesentliche, konzentrieren; das eigene EGO sowie der mit dem Job verbundene Status spielen eine untergeordnete Rolle. Es wird bei der Frage, was zu tun ist, niemals darum gehen: „Wie beeinflussen meine Entscheidungen und mein Handeln meine Zukunft im Unternehmen?" Zugegeben, es widerspricht dem Verständnis, das allgemein vorherrscht, nämlich dem Streben nach Sicherheit und Zugehörigkeit. Diesem Streben zu entkommen, ist allerdings nur möglich, wenn das (Selbst-)Vertrauen des Interim Managers in die eigenen Fähigkeiten sowie Möglichkeiten groß genug sind. Es erfordert die Bereitschaft, ständig den Markt zu analysieren, um die Trends der Wirtschaft und des Marktes zu erkennen sowie sich auf die daraus resultierenden Anforderungen einzustellen und flexibel anzupassen.

Auf dem Weg in die Selbständigkeit ist mir das Unverständnis für die Entscheidung und die damit verbundene vermeintliche Unsicherheit sehr oft begegnet. Sicher ist dieser Weg auch nicht für jeden der richtige. Nur dem, der bereit ist, sich darauf einzulassen, dem werden sich die Chancen, die sich daraus ergeben, eröffnen. Eine Festanstellung und eine Selbstständigkeit sind zwei völlig unterschiedliche Konzepte, die nur bedingt miteinander vereinbar sind und sich daher meist weitgehend ausschließen.

Besonders spannend empfand ich während meiner Mandate stets die Erfahrung, wenn Mitarbeiter, mit denen ich zu tun hatte, versuchten, subtil Druck auszuüben, um mich zu einem Handeln in eine bestimmte Richtung zu bewegen, das diesen Personen offensichtlich zum Vorteil verhelfen sollte. Nicht selten bekam ich Aussagen zu hören, die in etwa dem glichen: „Mach das lieber, dann bekommst du keinen Ärger." Umso erstaunter waren diese Personen, wenn sie damit nicht erreichen konnten, was sie bezweckten. Nämlich ihren Vorteil für sich daraus zu ziehen, anstatt den Vorteil des Unternehmens im Blick zu behalten. Hier zeigt sich eine der Chancen durch die Unabhängigkeit eines Interim Managers. Das Handeln richtet sich an der Aufgabe sowie am Ziel aus und behält das Wesentliche im Fokus, ohne sich um „Politik" kümmern zu müssen.

Genau hier sehe ich auch einen der Gründe, warum vieles nicht so läuft, wie es laufen sollte. Oft sind die erforderlichen Handlungen oder Veränderungen den meisten Beteiligten bewusst; aus Selbstschutz und der Angst vor Repressalien oder nicht mehr dazuzugehören, werden sie nicht angegangen bzw. umgesetzt. Nur die wenigsten trauen sich aus ihrer „Deckung" heraus. Wenn sie es dennoch tun, müssen sie mit erheblichen Schwierigkeiten mit Kollegen und Vorgesetzten rechnen. Beispielsweise wurde ein Mitarbeiter, der mich über einen schwerwiegenden Missstand in Bezug auf die Arbeitssicherheit informierte, von seinem Vorgesetzten und auch von Kollegen massiv angefeindet und unter Druck gesetzt. Er hatte eindeutig das Richtige getan und mit seinem Handeln Schlimmeres verhindert, aber damit die Gemeinschaft, der er angehörte, „verraten" und ungeschriebene Gesetze gebrochen.

In der Praxis heißt das nun, dass ein Interim Manager immer dann zum Einsatz kommen sollte, wenn Veränderungen gewünscht sind, die unpopuläre Entscheidungen erfordern oder sogar den Wegfall der eigentlichen Funktion oder Einheit. Dem Auftraggeber entstehen durch den Einsatz eines Interim Managers keine Verpflichtungen und Kosten durch langwierige Trennungsverfahren wie bei einem Festangestellten, da es so gut wie keine Kündigungsfristen und erst recht keinen Kündigungsschutz gibt. Das Unternehmen kann nach Bedarf und temporär Fach- und Führungswissen einkaufen. Durch die schnelle Verfügbarkeit können bei unplanbaren auftretenden Vakanzen wichtige Projekte und das Tagesgeschäft ohne große Unterbrechung fortgeführt werden. Auch hier liegt einer der Vorteile des Interim Managers, bei dem nach einem Mandat meist wieder eine mehr oder weniger lange Phase der auftragsfreien Zeit entsteht, die für die Weiterbildung und die ständige Verbesserung seiner Dienstleistung genutzt werden muss. Die Möglichkeit der Regeneration in dieser Zeit gestattet dem Interim Manager ein höheres Tempo und eine höhere Arbeitsdichte, was ohne diese Phasen auf Dauer nur schwer darstellbar wäre.

Dieser Mehrwert der Dienstleistung und die ständige Anpassung der Qualifikation an die Marktbedingungen sind neben dem unternehmerischen Risiko wichtige Gründe für die scheinbar höheren Kosten eines Interim Managers gegenüber einem Festangestellten.

Beim Interim Management geht es neben der Überbrückung einer Vakanz um die konkrete Umsetzung eines für das Unternehmen nutzbringenden und wichtigen Ziels oder Ziele, ohne sich, wie bereits erwähnt, langfristig aneinander zu binden. Im Vergleich zur Beratung geht es um die tatsächliche Umsetzung von Vorhaben mit entsprechendem Mehrwert anstatt dem reinen Aufzeigen von Potenzialen. In den meisten Fällen liegt fehlende Umsetzung allerdings nicht an dem fehlenden Wissen im Unternehmen, sondern an der Umsetzungskompetenz. Die fehlende Umsetzung kann aber auch andere Ursachen haben. Tiefgreifende Veränderungen zu realisieren, erfordert oft einen hohen Kraftaufwand, der von den angestellten Mitarbeitern theoretisch ebenfalls geleistet werden kann. Da dies von ihnen aber dauerhaft nicht durchzuhalten und damit nicht zu leisten ist, sind sie gezwungen, ihr Arbeitspensum so weit anpassen, bis es für sie über einen längeren Zeitraum von vielen Jahren durchhaltbar ist. Dem Mitarbeiter bleibt so oft keine andere Wahl, als Missstände im gewissen Umfang zu akzeptieren, um seine Arbeitskraft zu erhalten und Schaden von sich abzuwenden.

Für wen kommt also Interim Management in Frage? Eigentlich für jedes Unternehmen, das temporäre Aufgaben oder Zielstellungen hat, die es nicht im gewünschten Maß von internen Mitarbeitern aus den verschiedensten Gründen realisieren kann.

Interim Management kann die Unternehmen in dieser schnelllebigen Zeit mit ihren rasant zunehmenden Veränderungen dabei unterstützen, den stetig anspruchsvollen Herausforderungen gerecht zu werden und seine Innovationen voranzutreiben. Letztlich als strategischer Baustein zur Wettbewerbssicherung.

Konsequenterweise ist es so, dass der Erfolg dem Interim Manager den Auftrag sichert und nicht die Verträge mit dem Unternehmen. So ergeben sich für das Unternehmen und den Interim Manager eine interessante Möglichkeit der Zusammenarbeit mit vielfältigen Vorteilen und hohen Nutzen.

Beispielsweise gibt es viele Gründe warum sich ein Interim Manager und damit der Auftragnehmer bei der Auftragserfüllung überflüssig machen muss. Hierzu können Verlagerungen von Produktionseinheiten, organisatorische Veränderungen im Unternehmen, Aufbau von Nachwuchskräften, Wegfall von Produkten oder Geschäftsbereichen und vieles mehr gehören. Was auch immer der Grund sein mag, können derartige Aufgaben nur schlecht von den Betroffen selbst durchgeführt werden, sondern ausschließlich von jemandem, der sich mit dem Aufgabenabschluss überflüssig macht, um sich anschließend wieder neuen Herausforderungen entsprechend seines Geschäftsmodells zu widmen. Das bedeutet aber auch, der Auftragserfolg ist die Beendigung der Zusammenarbeit, zumindest für dieses Projekt. Je besser und gründlicher die Aufgabenerfüllung erfolgt, desto erfolgreicher sind das Projekt und die Arbeit des Interim Managers.

Damit ergibt sich für den Interim Manager unweigerlich die Notwendigkeit, sich selbst überflüssig zu machen, was somit eine seiner Kernaufgaben darstellt.

4.2 Jedes Unternehmen hat eine eigene Identität!

Ein Unternehmen hat durch seine Produkte, seine Prägung durch deren Kunden und Märkte, auf denen es tätig ist, seine Gründer und Gründungsform, die Dauer, wie lange es bereits am Markt ist und somit welche Zeiten und welche Umwelt es beeinflusst hat, seine Share- sowie Stakeholder und nicht zuletzt durch seine Mitarbeiter und deren individuellen Hintergründe sowie deren gemeinsame Historie eine sehr individuelle Identität. Einiges davon ist ganz offiziell in Verfahrensanweisungen und in der Unternehmensphilosophie festgehalten, aber das meiste liegt verborgen in informellen Gesetzmäßigkeiten und ist bei den Erwartungen, Einstellungen und im Gedächtnis der Mitarbeiter tief verankert. Hierbei spielen Themen wie der „Psychologische Vertrag" und „Psychologisches Gedächtnis" eine wichtige Rolle! Obwohl es eigentlich selbstverständlich sein sollte, wird diese Individualität eines Unternehmens jedoch allzu häufig vernachlässigt, anstatt sie obligatorisch und hinreichend zu berücksichtigen.

Daher ist neben den allgemeingültigen Kriterien die differenzielle Betrachtung besonders wichtig und es erfordert, dem Kunden maßgeschneiderte Ansätze und Lösungen zu liefern.

4.3 Individuelle Lösungen anstatt starre Konzepte

   Bei einigen Dienstleistungs- oder Beratungsunternehmen kommt es vor, dass ein einmal erarbeitetes Konzept stetig weiter ausgefeilt und optimiert wird. Daraus ergibt sich zwar eine gewisse Struktur, aber auch der kleinste gemeinsame Nenner für die Anforderungen der unterschiedlichen Unternehmen. So ein sicherlich weitgehend ausgereiftes Konzept wird als Master und Basis für jedes Unternehmen genutzt und von allen Beratern des jeweiligen Beratungsunternehmens gleichermaßen verwendet und mehr oder weniger auf die unterschiedlichen Kunden übertragen bzw. angewendet. Die Folge kann sein, dass die Besonderheiten und Anforderungen der Kunden dabei nicht ausreichend berücksichtigt werden. Ein Unternehmen wird auf dieses Konzept angepasst und muss sich mit diesem Kompromiss arrangieren. Alternative bzw. individuelle Lösungswege werden so unter Umständen nicht ausreichend beachtet, was als eine verlorene Chance angesehen werden kann, da es nicht zur bestmöglichen Konzeption kommt.

Deutlich anspruchsvoller und sicherlich aufwendiger ist, sich voll und ganz auf das betreute Unternehmen einzulassen. Dies macht die Bereitschaft erforderlich, die Ungewissheit und Anspannung auszuhalten, die es mit sich bringt, die Lösung nicht bereits zu kennen, und das Vertrauen auf die eigenen Fähigkeiten, die optimale Lösung für den Kunden zu finden. Für einen Interim Manager existiert also keine generelle Schablone, die er verwenden könnte. Der daraus resultierende und wesentliche Unterschied zwischen dem Abarbeiten von Checklisten bzw. Verwenden von festen Handlungsanweisungen und der Herausforderung, sich zuzutrauen, ständig neue Lösungen und Innovationen zu erarbeiten, sollte offensichtlich sein.

Dabei ist es besonders wichtig, das Know-how der Mitarbeiter und deren Lösungsansätze, besonders die, die bislang aus verschiedensten Gründen nicht berücksichtigt worden sind, miteinzubeziehen.

Es geht nicht um den Satz „Geht zu den Mitarbeitern, die wissen am besten, wie es geht.", sondern darum, die Mitarbeiter so weit wie möglich zu integrieren, zu beteiligen und ihnen die Möglichkeit zu geben, ihre Potenziale einzubringen. Letztendlich dieses Wissen und diese Fähigkeiten der Mitarbeiter zu koordinieren, zu kanalisieren und ihnen die Rahmenbedingen zu bieten, die sie benötigen, um erfolgreich zu sein.

Unerlässlich ist es auch, Klarheit darüber zu erlangen, ob die vorhandenen Prozesse und Abläufe die richtigen für den Erfolg des Unternehmens sind oder ob sie korrigiert werden sollten, bevor diese weiter optimiert und mit zusätzlichen Ressourcen ausgestattet werden. Findet dieser Gesichtspunkt nicht ausreichend Berücksichtigung, wird lediglich effektiver in die falsche Richtung bzw. am falschen Ziel gearbeitet. Die Ergebnisse werden entsprechend zunehmend schlechter, anstatt sich wie gewünscht zu verbessern.

4.4 Psychologischer Vertrag und psychologisches Gedächtnis

Für diejenigen, die in einem Unternehmen nachhaltig etwas verändern und es dafür zunächst besser verstehen möchten, sind der „Psychologische Vertrag" und das „Psychologische Gedächtnis" von Interesse. Eine Auseinandersetzung mit diesen Zusammenhängen ist für diese Vorhaben durchaus empfehlenswert.

Es geht an dieser Stelle weniger darum, eine Abhandlung zum Thema „Psychologischer Vertrag oder Gedächtnis" zu verfassen als um die Relevanz für die Praxis. Dabei spielt die Begrifflichkeit eine untergeordnete Rolle. Vielmehr zählt, welchen Einfluss dies auf das Ergebnis hat, das erzielt werden soll, und was sich dahinter verbirgt.

Nach Sabine Raeder und Gudela Grote (2012) definiert sich der Begriff „Psychologischer Vertrag" durch die gegenseitigen bzw. wechselseitigen Erwartungen und Angebote von Arbeitgebern und Arbeitnehmern, welche über die im Arbeitsvertrag festgehaltenen Regelungen hinausgehen.

Das bedeutet, dass sie zwar unausgesprochen sind, aber dennoch bindend und entsprechend wirksam. Es handelt sich um ungeschriebene Gesetzmäßigkeiten, an die sich beide Seiten zu halten haben, wenn sie entsprechende Sanktionen der jeweils anderen Partei vermeiden möchten.

Beispiele können hier eine bestimmte Sitzordnung in der Kantine, Erwartungen zur Kleiderordnung bis hin zu Verhaltensweisen und Ritualen sein.

Unter dem „psychologischen Gedächtnis" werden alle Erinnerungen bzw. abgespeicherten Erlebnisse, die ein Mitarbeiter als „Rucksack" an vorwiegend negativen Ereignissen, die er im Laufe seines Berufslebens angehäuft hat, verstanden. Besonders die emotionalen Aspekte und ihr Einfluss auf das Verhalten haben in diesem Zusammenhang großes Gewicht.

Bewusst, aber häufig auch eben unbewusst, hat dies erheblichen Einfluss darauf, wie ein Mitarbeiter auf Anforderungen im

Unternehmen reagiert. Es prägt seine Einstellungen, Erwartungen und Wahrnehmungen, die für einen Außenstehenden so nicht ersichtlich bzw. erkennbar sind. Als Folge kann der Mitarbeiter unter Umständen anders reagieren und handeln, als es zu erwarten wäre, mit der Konsequenz, dass die angestrebten Ergebnisse ausbleiben, oder es zu Konflikten kommt.

Ein Beispiel aus meiner Praxis liegt hier schon einige Jahre zurück. Für einen Automobilzulieferbetrieb ging es darum, Lean Production einzuführen. Aufgrund von diversen Unternehmensübergängen in der Vergangenheit gab es recht wenig nachhaltige Strukturen in der Produktion und die Mitarbeiter hatten zuvor mit der Lean-Philosophie nahezu keine Berührungspunkte gehabt. Aus diesem Grund wurden alle Mitarbeiter von Anfang an mit eingebunden. Es fanden umfangreiche Informations- und Schulungsveranstaltungen sowie zahlreiche Workshops statt. Als es um die finale Umsetzung ging, informierte ich die betroffene Mitarbeitergruppe von ca. 20 Personen über die weitere Vorgehensweise und die geplanten Maßnahmen. Nachdem es allen vermeintlich so weit verständlich und klar war, bemerkte ich eine Dame, die durch ihre Körperhaltung und -sprache signalisierte, alles andere als einverstanden zu sein. Zunächst empfand ich das als irritierend, da die umfangreichen Vorbereitungen eigentlich alle Fragen geklärt hatten. Also sprach ich sie an und fragte, was ihre offenen Fragen seien und was ich noch für sie tun könne. Zu meinem Erstaunen platzte es sofort aus ihr heraus. Was mich daran zunächst besonders überrascht hatte: Ihre Missbilligung hatte nichts mit dem zu tun, was in der Informationsveranstaltung gesagt wurde, sondern betraf ein ganz anderes Thema, welches sie stark aus früheren Erfahrungen heraus beschäftigte. Sie war aus diesem Grund gar nicht offen für die Kommunikation und Information, sondern mit ihren Befürchtungen und Sorgen beschäftigt.

Auch wenn es sich in diesem Fall um keine große Sache handelte und es schnell in ihrem Sinne geklärt werden konnte, zeigt es dennoch, wie stark die Auswirkungen sein können, wenn diese Hintergründe keine Beachtung finden.

Damit stellen der „psychologische Vertrag" und auch das „psychologische Gedächtnis" zwei wichtige Aspekte bei Veränderungsprozessen und bei der Arbeit des Interim Managers dar.

4.5 Keine Veränderungen ohne Chance Management

Viele Veränderungsprojekte werden abgebrochen und damit nicht erfolgreich abgeschlossen. Der Widerstand gegen die gewohnten Abläufe wird oft kurzfristig überwunden, was ein Vorankommen zu sein scheint; die alten Strukturen setzen sich dann aber flächendeckend wieder durch. Teilweise geschieht dies offen, teilweise eher verdeckt. Nicht immer ist es den Beteiligten bewusst, dass sie gegen die gesteckten Ziele arbeiten. Der Widerstand kann aktiv, aber auch passiv auftreten. Er hängt vielfach mit Verlust- und Existenzängsten zusammen. Niemand kann es jemandem verdenken, dass er seine persönliche Existenz sichern möchte und muss, da es zu den ureigensten Reaktionen eines Individuums gehört, sein Überleben und seinen Fortbestand zu sichern. So verwundert es auch kaum, dass es oft so schwerfällt, eine geplante Veränderung nachhaltig umzusetzen. Genau hier muss der Ansatz liegen und eine Perspektive geschaffen werden. Häufig enttäuschtes Vertrauen, das sich im psychologischen Gedächtnis manifestiert hat, erschwert die Vermittelbarkeit der Veränderung und das Gewinnen der Mitarbeiter für diese Projekte. Die diesbezüglich hohe Vielfältigkeit der teils negativen Erfahrungen der Mitarbeiter, verbunden mit entsprechenden Emotionen, erhöht die Komplexität und den Aufwand erheblich.

Neben den liebgewonnenen Gewohnheiten und Ritualen spielt auch die Identifikation mit den bisherigen Lösungen und Vorgehensweisen eine wichtige Rolle. Je stärker ein Mitarbeiter an der Bestandslösung beteiligt war, umso schwerer wird es ihm fallen, diese wieder fallen lassen zu müssen. Das in dem Zusammenhang erworbene Wissen verliert an Bedeutung und er muss seine erreichte Stellung im Unternehmen erneut sichern. Neue Mitarbeiter sind in diesem Fall teilweise in einer besseren Ausgangsposition und können zur Bedrohung werden. Das Neue und damit Unbekannte kann nur schlecht eingeschätzt werden. Vorhandene Lösungsansätze und Kompetenzen werden wenigstens zum Teil überflüssig und durch neue Anforderungen ersetzt.

Besonders dramatisch wird es für einen Mitarbeiter, wenn er Veränderung als fremdbestimmt und damit als Verlust seiner Selbstwirksamkeit erlebt. Fehlende Selbstwirksamkeit wird als Bedrohung wahrgenommen und stellt damit einen starken Stressauslöser dar, der zum Empfinden von Ohnmacht und Kontrollverlust führt. Selbstwirksamkeit wirkt sich direkt auf die potenziell mögliche Leistung eines Mitarbeiters aus und in welchem Maß ein Mitarbeiter mit Rückschlägen und Schwierigkeiten umgehen kann. Soweit Fremdbestimmtheit und unsichere Anforderungen mit einem sich ändernden Umfeld einhergehen, werden die genannten Fähigkeiten der Veränderungsbewältigung entsprechend geschwächt. Das Vertrauen in die eigenen Möglichkeiten, Anforderungen der Aufgabenstellung gerecht zu werden, sinkt (*Stajkovic & Luthans, 1998; Bandura, 2013; Friedemann W. Nerdinger, Gerhard Blickle, Niclas Schaper, 2008, 2011, 2014, 2018*).

Zwangsläufig wird ein Mitarbeiter Abhilfe anstreben, was sich in dem Versuch äußert, die Veränderungen zu verhindern oder den alten Zustand wiederherzustellen.

Ohne diese Hintergründe zu berücksichtigen, wird es schwierig, geplante Chance-Prozesse umzusetzen. Es bedarf eines Konzepts, was dem wirkungsvoll entgegenwirkt und den Mitarbeitern die Sicherheit und das Vertrauen gibt, das sie benötigen, um ein derartiges Projekt zu unterstützen. Bei jeder Veränderung gibt es Personen, die davon profitieren, und andere, die dadurch Verluste hinnehmen müssen, die nicht nur materieller Natur sind, sondern auch mit Ansehen, Status und Prestige einhergehen können. Gerade diesem Teil der Mitarbeiter muss eine Perspektive aufgezeigt werden, sodass sich ihnen die Möglichkeit bietet, die Änderungen für sich zu akzeptieren und sich auf diese Weise eingebunden und wertgeschätzt zu fühlen.

Aber auch der Umgang mit den Mitarbeitern, bei denen das nicht gelingt, wird einen großen Einfluss darauf haben, wie ein Vorhaben von der Gesamtheit der Mitarbeiter wahrgenommen und mitgetragen wird. Generell ist es allerdings eine anspruchsvolle Aufgabe, herauszufinden, wer subjektiv für sich eine Bedrohung in einem Veränderungsprozess sieht. Nicht jeder wird dies aus Schutz vor potenziellen Nachteilen offen kundtun und sich aus der Deckung wagen.

Vollständig lässt es sich wahrscheinlich nicht klären, wer in welcher Form dem gewünschten Veränderungsprozess gegenübersteht. Das ist auch nicht unbedingt erforderlich, um einen ausreichenden Überblick zu erhalten, auch wenn das den Idealzustand darstellen würde und möglichst anzustreben ist.

Den Führungskräften kommt wie so oft eine besondere Bedeutung zu. Neben den Führungskräften kann es aber auch andere Mitarbeiter geben, die im Unternehmen großen Einfluss haben und im besten Fall andere zu Unterstützern machen können. Im schlechtesten Fall werden diese Mitarbeiter ihren Einfluss nutzen, um das Vorhaben zu verhindern. Hierzu später mehr.

Zunächst aber zu den Führungskräften. Auch bei den Führungskräften gibt es „Gewinner" und „Verlierer" einer Veränderung. Da diese der verlängerte Arm des Unternehmers sind, müssen hier die ersten Gespräche – Einzel- und Gruppengespräche – geführt werden. Auf der einen Seite, um das Vorhaben zu kommunizieren, und auf der anderen Seite, um entsprechende Informationen zur Einstellung, Sichtweise, Bedenken und Verunsicherung zu erhalten. Neben Gesprächen ist auch die Beobachtung unerlässlich. Eine solide Erfahrung im Umgang mit Mitarbeitern und der Führungserfahrung an sich sowie ein gesundes Maß an Menschenkenntnis sind dabei die wichtigste Grundlage, die eine erste Einschätzung möglich macht.

Was kann getan werden, wenn Mitarbeiter und besonders die, die großen Einfluss haben, den Veränderungsprozess nicht unterstützen bzw. behindern?

Fehlende Unterstützung kann unterschiedliche Ursachen haben und muss deshalb unterschiedlich behandelt werden.

Hierzu folgende Beispiele:

a) Im schlimmsten Fall ist der Mitarbeiter einfach nur dagegen und sieht alles negativ.

b) Bereits gemachte negative Erfahrungen rufen Abwehrmuster beim Mitarbeiter hervor.

c) Der Mitarbeiter hat diffuse Ängste und Unsicherheiten, da er die für ihn resultierenden Auswirkungen nicht abschätzen kann. Es besteht noch Informationsbedarf (bewusst und unbewusst).

d) Der Mitarbeiter wird von anderen negativ beeinflusst.

e) Der Mitarbeiter hat tatsächlich einen Nachteil zu tragen in Form von Jobverlust oder hat andere Einschränkungen zu befürchten sowie Verlust von bisherigen Vorteilen (objektiv und subjektiv).

f) Der Mitarbeiter möchte schlicht den alten Zustand beibehalten.

g) Die Person hat einen großen Beitrag zu dem bestehenden Konzept geleistet und identifiziert sich damit.

h) Seine Expertise und Erfahrung werden durch die Veränderungen obsolet.

usw.

Was bedeutet das also im Detail für die Vorgehensweise?

a) Im schlimmsten Fall ist der Mitarbeiter einfach nur dagegen und sieht alles negativ:

Diesen Umstand zu ignorieren und zu hoffen, dass es schon irgendwie besser wird, ist keine gute Lösung. Mit einem Gespräch muss die Klärung erfolgen. Auch wenn das Verhalten und die damit verbundene Wirkung nach außen hin die gleiche sein kann, müssen die Ursachen nicht identisch sein. Die eigenen Erwartungen und Wahrnehmungen zu kommunizieren, bringt zumindest mehr Klarheit für alle Beteiligten. Selbst wenn der Mitarbeiter sich nicht umstimmen lässt, kann die Erwartung zur Mitarbeit deutlich gemacht werden. Diese Erwartung bildet für weitere Gespräche die Basis und stellt die Grundlage für die geforderten Arbeitspflichten für den Mitarbeiter dar.

Oft kommt es bei dem Mitarbeiter dann doch noch zur Bereitschaft, mitzuwirken. Im Zweifel ist es immer sinnvoll, ein derartiges Gespräch schriftlich zu dokumentieren, um den Weg für u. U. erforderliche Maßnahmen zu ebnen. Besser ist in jedem Fall allerdings, die Hintergründe zu verstehen und eine gemeinsame Lösung zu finden. Wie immer gilt: Ausnahmen bestätigen die Regel!

b) Bereits gemachte negative Erfahrungen rufen Abwehrmuster beim Mitarbeiter hervor:

Zunächst wird wie bei a) nur die Abwehrhaltung durch Beobachtung deutlich, die Ursachen erschließen sich dadurch noch nicht. Hier gilt es, diese zu erkennen und dem Mitarbeiter Lösungswege aufzuzeigen, die idealerweise zu Akzeptanz führen. Gemeinsame Ansätze durch eine konstruktive Einbindung sind auch in diesem Fall wieder der optimale Weg. Es darf jedoch nicht außer Acht gelassen werden, dass die negativen Erfahrungen, die zur Abwehrhaltung führen, auch immer mit Vertrauensverlusten einhergehen. Durch die sogenannte „Reizgeneralisierung", auf die später noch eingegangen wird, kann es zu einer Übertragung der negativen Erfahrungen auf die aktuelle Situation kommen. Ein in der

Vergangenheit erfolgter Vertrauensverlust ist oft eine Begleiterscheinung. Vertrauen lässt sich nur schwer mit Argumenten erschließen, sondern muss sich durch das gemeinsame und authentische Handeln wieder sukzessive aufbauen. Das Gespräch stellt lediglich den „Türöffner" dar. Hintergrund sind nicht-bewusste Mechanismen und Emotionen beim Mitarbeiter, die folglich nicht bewusst beeinflussbar sind, weder vom Mitarbeiter selbst, noch von der Führungskraft.

Bei dieser Vorgehensweise ist ein mittel- bis längerfristiges Begleiten des Prozesses unabdingbar, um einen Rückfall in alte Muster zu vermeiden. Die Macht der Gewohnheit unterstützt bei diesem Wandel.

c) Der Mitarbeiter hat diffuse Ängste und Unsicherheiten, da er die für ihn resultierenden Auswirkungen nicht abschätzen kann. Es besteht noch Informationsbedarf (bewusst und unbewusst):

Nur wenn ein Mitarbeiter die Konsequenzen und Folgen einer Veränderung für sich abschätzen kann, ist es ihm möglich, diese einzuordnen. Die auf dieser Basis entstandenen Optionen eröffnen ihm eigene Perspektiven und ermöglichen ihm, diese zu erkennen bzw. zu nutzen. Ängste und Unsicherheiten können abgebaut werden. Hierzu muss herausgearbeitet werden, welcher Informationsbedarf noch besteht und wie und durch wen oder wobei unterstützt werden kann. Das Vertrauen in die Führungskraft stellt eine solide Grundvoraussetzung für diesen Weg dar. Eine offene Gesprächskultur und authentisches sowie berechenbares Verhalten der Führungskraft unterstützen diesen Prozess.

Häufig wird versucht, Emotionen sachlich zu begegnen. Emotionen lassen sich allerdings nicht sachlich erschließen, sondern nur durch Empathie und mit dem Annehmen der Emotionen des Mitarbeiters, in diesem Fall durch die Führungskraft. Dies geschieht vorzugsweise durch aktives Zuhören, auf das ich später noch einmal zu sprechen komme. Es beinhaltet unter anderem das Wiederholen von dem, was und wie die Ausführungen des Mitarbeiters durch die Führungskraft verstanden wurden. Neben dem Schließen der Informationslücken ist die gemeinsame Lösungsfindung, also die Mitarbeitereinbindung, ein weiter Schritt auf dem Weg zur Akzeptanz für den Veränderungsprozess.

d) Der Mitarbeiter wird von anderen negativ beeinflusst:

Ob ein Mitarbeiter von Kollegen oder evtl. sogar von seinem Vorgesetzten negativ beeinflusst wird, lässt sich zunächst nicht sofort erkennen. Sobald dies durch entsprechende Gespräche herausgearbeitet wurde, sind mehrere Ansätze erforderlich. Es sind die Fragen zu klären, wer beeinflusst aus welchem Grund wen und warum ist es möglich, dass ein Mitarbeiter überhaupt von jemandem beeinflusst werden kann? Auch im Gespräch wird ein Mitarbeiter sich nicht frei darüber äußern, von wem diese Einflussnahme kommt. Vielleicht ist sie ihm nicht einmal bewusst. Dies lässt sich eher über die Hintergründe des Verhaltens des Mitarbeiters erschließen. Auch hier gilt, wo Emotionen „regieren", kommen sachliche Argumente nicht zum Zug. Es wird immer wieder versucht, Emotionen sachlich wegzudiskutieren. Das muss zum Scheitern verurteilt sein, da es dieser Herausforderung nicht gerecht wird. Es trifft nicht den Kern dessen, was den Mitarbeiter bewegt.

Die Vorgehensweise ist wieder die gleiche wie unter c) beschrieben. Die Hintergründe sind auch hier entscheidend für das erforderliche Handeln.

Alle denkbaren Szenarien aufzuführen, sprengt sicher den Rahmen. Dennoch soll auf Folgendes hingewiesen werden: Der Mitarbeiter muss so weit gestärkt werden, dass er sich selbst dieser Beeinflussung erwehren und sein eigenes objektives Urteil bilden kann. An dieser Stelle soll an das Kapitel „Schwache Führungskräfte, schwache Mitarbeiter" verwiesen werden. Je mehr eine Führungskraft seine Mitarbeiter stärkt, desto weniger werden sie für solche gezielten

Beeinflussungen empfänglich sein. Selbstbewusste und mündige Mitarbeiter sind nicht nur offener für Veränderungen und haben mehr Verständnis für die Erfordernisse, die daraus resultieren, sondern sind auch widerstandsfähiger gegen destruktive Parolen.

Der andere Aspekt geht von der beeinflussenden Person selbst aus. Da diese wahrscheinlich nicht nur eine Person beeinflusst, sondern es bei einer Vielzahl von anderen Mitarbeitern versucht, muss konsequent reagiert werden, um einen „Flächenbrand" zu verhindern. Die Ursachen für dieses Verhalten können ebenfalls wieder vielschichtig sein. Sollten die Hintergründe wie unter c) beschrieben sein, ist auch hier wie unter c) dargestellt vorzugehen. Aber auch andere Gründe können eine Rolle spielen, wie beispielsweise unkonstruktive Verhaltensweisen. In einem Gespräch müssen die Wahrnehmung und Bedeutung bzw. Konsequenzen dieses Verhaltens durch die Führungskraft aufgezeigt und benannt werden. Am Ende steht eine gemeinsame Vereinbarung mit den weiteren Schritten. Sanktionen können u. U. erforderlich sein. Ein zuvor angekündigtes Gesprächsprotokoll ist ohnehin bei jedem Mitarbeitergespräch sinnvoll. Es dient als Orientierung und dem Nachweis für Mitarbeiter und Führungskraft. Leider wird dieser Punkt allzu häufig nicht berücksichtigt, was dazu führt, dass im Falle eines Falles die Handlungsmöglichkeiten stark eingeschränkt sind.

e) Der Mitarbeiter hat tatsächlich einen Nachteil in Form von Jobverlust oder anderen Einschränkungen zu befürchten sowie Verlust von bisherigen Vorteilen (objektiv und subjektiv):

Selbstverständlich darf nicht verschwiegen werden, dass es bei Veränderungen zu Nachteilen bei einzelnen Mitarbeitern kommen kann. Der Gesamtnutzen steht im Vordergrund. Dies klar und offen zu kommunizieren, anstatt etwas Anderes vorzugeben, ist ein wichtiger Schritt.

Bei Nachteilen und Verlusten geht es auch stets um den Umgang mit ihnen. Jeder Mensch versucht, Nachteile zu vermeiden, und strebt Vorteile an.

Wenn dies nicht gelingt, kommt es verallgemeinert zu ähnlichen Reaktionen, wie von Elisabeth Kübler-Ross in ihrem 5-Phasen-Modell beschrieben. Die schweizerisch-amerikanische Psychiaterin machte bereits in den 1960er-Jahren fünf Phasen aus, die ihr in Gesprächen mit sterbenden Menschen (N=200) auffielen. Daraus entstand das sogenannte 5-Phasen-Modell, welches Menschen bei existenziellen Verlusten oder schwerwiegenden Einschnitten durchlaufen.

Fünf-Phasen-Modell nach Elisabeth Kübler-Ross:

- Phase eins: Nicht-Wahrhaben-Wollen

- Phase zwei: Zorn

- Phase drei: Verhandeln

- Phase vier: Depression

- Phase fünf: Akzeptanz

Nun geht es bei Veränderungen im Unternehmen nicht gleich um Leben und Tod, dennoch kann hier einiges übertragen werden, da sie für den Mitarbeiter eine existenzbedrohende Bedeutung haben können. Gerade die Phasen 1, 2 und 4 gehen mit einer hohen emotionalen Belastung für den Mitarbeiter einher und machen ihn anfällig für negative Einflussnahme.

Ohne Zweifel benötigt das Durchlaufen der 5 Phasen eine gewisse Zeit, bis es zur Akzeptanz kommen kann. Zeit, die nicht immer zur Verfügung steht. Eine Führungskraft kann und sollte den Mitarbeiter dabei unterstützen. Gerade bei den Reaktionen in Phase eins und zwei muss die Führungskraft die Geduld aufbringen und die Reaktionen richtig interpretieren, ohne sich provoziert zu fühlen. Ein frühzeitiges Einbinden räumt ausreichend Zeit ein und reduziert den Verlust von Selbstwirksamkeit beim Mitarbeiter. Auf die Selbstwirksamkeit und ihre Bedeutung wird noch einmal weiter unten eingegangen.

f) Der Mitarbeiter möchte schlicht den alten Zustand beibehalten:

An dieser Stelle sind die Möglichkeiten häufig eingeschränkt. Die Führungskraft kann ihr Verständnis für diese Haltung signalisieren, sie muss dennoch das Engagement des Mitarbeiters einfordern. Wertschätzung und Respekt bauen den Widerstand etwas ab und bilden die Basis zur Zusammenarbeit. Das reine Aufbauen von Druck dürfte sich kontraproduktiv auswirken. Dennoch ist auch hier das Mitwirken als Arbeitnehmerpflicht konsequent einzufordern.

g) Der Mitarbeiter hat einen großen Beitrag zu dem bestehenden Konzept geleistet und identifiziert sich damit:

Auch wenn es hier nicht um die Existenz des Mitarbeiters geht, werden an dieser Stelle ebenfalls die beschriebenen 5 Phasen eine Rolle spielen, da der Mitarbeiter einen für ihn wichtigen Verlust verkraften muss. Daher ist die Vorgehensweise von e) zu adaptieren. Der Widerstand sollte in jedem Fall sehr ernst genommen werden, weil dieser andernfalls sehr vehement ausfallen kann. Es ist zu bedenken, dass der betroffene Mitarbeiter viel Herzblut und Energie für die aktuelle Lösung aufgewendet hat. Es ist Teil seiner beruflichen Identität, die er bei einer Neuerung aufgeben muss. Es leuchtet ein, dass das Aufgeben dieses Teils seiner Identität für den Mitarbeiter eine besondere Herausforderung ist und ihm emotional schwerfallen dürfte.

h) Seine Expertise und Erfahrung werden durch die Veränderungen obsolet:

Das, was einen Mitarbeiter und seine Stellung im Unternehmen ausmacht, sind seine Expertise und Erfahrung, also der Wert, den er für das Unternehmen dadurch darstellt. Kollegen und Vorgesetzte schätzen ihn dafür als wertvollen Mitarbeiter, was ihm Status sowie einen Stellenwert einräumt und ihm letztendlich seinen Arbeitsplatz sichert.

So ist es nicht besonders verwunderlich, dass mit einem drohenden Verlust dieser Sicherheit sich beim Mitarbeiter Ängste und Unsicherheiten zeigen, die im Widerstand münden.

Das rechtzeitige Einbinden und das Aufbauen von neuen Kompetenzen beugen dem nachhaltig vor. Die Zweifel, den neuen Anforderungen nicht gerecht zu werden, müssen abgebaut werden. Es muss aufgezeigt werden, dass viele neue Kompetenzen auf altes Wissen aufbauen können. Der Rückhalt und die Unterstützung durch den Vorgesetzten helfen dem Mitarbeiter dabei, seine geänderte Rolle anzunehmen und neues Selbstvertrauen zu erlangen.

Sicherlich kann es weit mehr Hintergründe geben als die, die hier geschildert wurden. Die wichtigsten sollten aber mit diesen Ausführungen beschrieben sein.

Nicht nur das Verhalten jedes Einzelnen, sondern auch diese unterschiedlichen Motive und Hintergründe, die auf seiner individuellen Persönlichkeit beruhen, unterscheiden sich und müssen berücksichtigt werden. Nicht jeder reagiert auf die gleiche Art und Weise. Einige ziehen sich zurück, andere machen ihrem Unmut lautstark Luft, wieder andere agieren im Hintergrund und ein weiterer Teil sieht die Chancen und Möglichkeit.

Ohne Zweifel ist die aufgezeigte Vorgehensweise mit viel Engagement und Fingerspitzengefühl verbunden. Aufwand, der aber durchaus sinnvoll ist und sich auszahlt. Durch ihn wird sichergestellt, dass wesentlich höhere Anstrengungen vermieden werden, die andernfalls nötig wären, sobald ein Chance-Prozess zu scheitern droht. Weiter unten im Kapitel „Mitarbeitern die richtige Beachtung schenken!" wird auf diesen Effekt noch einmal näher eingegangen. Was zunächst als der schwierigere Weg erscheint, stellt sich später als der einfachere und wirkungsvollere heraus. Das gilt aus meiner Sicht für die meisten Sachverhalte im Berufs- wie auch im Privatleben.

4.6 Diversity und der Nutzen für das Change Management

Change Management ist im Grunde genommen, wie bereits dargestellt, für jedes Unternehmen unverzichtbar. Die Veränderungsbereitschaft und die Fähigkeit, sich ständig auf verändernde Rahmenbedingungen und Voraussetzungen einzustellen sowie sich neu zu erfinden, werden zunehmend einen entscheidenden Wettbewerbsvorteil darstellen. Wie es schon immer in der Geschichte der Menschheit gewesen ist, nimmt das Tempo der Veränderungen und der sich ändernden Marktbedingungen stetig und unaufhaltsam zu. Dieser Umstand setzt zunehmend von den Menschen, die sich diesem Anspruch gegenübersehen, eine ständig steigende Anpassungsfähigkeit an die sich ändernden Anforderungen voraus. Aber gerade in den klassischen Industrien ist in der Praxis das Gegenteil zu beobachten. Hieraus ergeben sich die Herausforderungen an das Management und die Führungskräfte. Know-how und Technik müssen stetig hinterfragt und auf den neusten Stand gebracht werden. Mit etwas Vorlaufzeit lässt sich das in den meisten Fällen noch gut realisieren. Wesentlich anspruchsvoller ist die Aufgabe, die Mitarbeiter entsprechend auf diese immer höheren Anforderungen vorzubereiten und aus- bzw. weiterzubilden. An dieser Stelle reichen die reinen Weiterbildungsmaßnahmen meist nicht aus. Hierfür werden ein ganzheitliches Konzept und ein weitreichender und langfristiger Umbau unumgänglich. Es stellt sich die Frage, wie eine Belegschaft aufgestellt sein muss, um diesen Erfordernissen gerecht zu werden, und mit welchen Maßnahmen bzw. Konzepten dies ein Unternehmen erreichen kann, um auch für die Zukunft gut aufgestellt zu sein.

Employer Branding ist seit einiger Zeit ein Schlagwort, das viele Unternehmen inzwischen nachhaltig berücksichtigen, um für potenzielle Mitarbeiter interessant zu sein und die Stammbelegschaft zu halten. Das alleine wird allerdings immer noch nicht ausreichen. Dazu lohnt es sich, genauer zu analysieren, welche Anforderungen bereits gut abgedeckt sind und welche noch nicht. Ein besonders homogener Mitarbeiterstamm wird in der Regel ein gut eingespieltes Team darstellen und somit für die aktuellen Aufgaben bestens aufgestellt sein. Die unausgesprochenen Regeln, wie beim „psychologischen Vertrag" bereits erläutert, werden allen klar sein und es kommt nur zu geringen „Reibungs- und Schnittstellenverlusten".

Für die beschriebenen Veränderungen ist ein derartig konsolidiertes Team allerdings denkbar schlecht aufgestellt. In einem gewissen Rahmen und Umfang sind Anpassungen sicherlich möglich, für einen Paradigmenwechsel wohl eher weniger. Ein vorhandenes System wird weiter optimiert, bevor neue Lösungsansätze gewählt werden. Dies ist nicht nur durch die vergleichsweise homogenen Kompetenzen der Fall, sondern auch durch die unweigerlich resultierende „Betriebsblindheit". Viele können einen einmal eingeschlagenen Lösungsweg nur schwer wieder verlassen. Verdeutlicht wird dies durch ein simples Beispiel: Kleine Fehler in einem Text, die der Verfasser selbst immer wieder überliest, werden von einer anderen Person sofort entdeckt. Auf der einen Seite wird die eigene Lösung immer wieder über dieselbe geistige Schiene gedacht und auf der anderen Seite spielen hier Ankereffekte eine große Rolle. Ankereffekte lassen sich nur schwer auflösen. Jeder kennt auch das Beispiel vom rosa Elefanten, an den man nicht denken soll und gerade deshalb das Bild vor Augen hat. Oder anders formuliert, es wird nur schwer zu einem neuen Lösungsansatz kommen, wenn schon eine eingefahrene Lösung existiert.

Die Erklärung ergibt sich durch den gerade angesprochenen Ankereffekt (Anker), der von Werth & Mayer (2008) auch als Ankerheuristik bezeichnet wird. Die Ankerheuristik beschreibt die Urteilsverzerrung in eine bestimmte Richtung, also in Richtung des Ankers, der durch einen vorgegebenen Wert oder, auf diesen Fall übertragen, eine Lösung repräsentiert wird. Interessant dabei ist, selbst wenn ein Anker nicht korrekt und dies sogar bekannt ist, entfaltet er seine Wirkung *(Tversky & Kahnemann, 1974)*.

Nach einem Auftrag bat ich meinen Kunden, mir eine kurze Referenz abzugeben. Da mir bewusst war, dass alle Entscheider sehr wenig Zeit zur Verfügung haben und viel beschäftigt sind, stellte ich ein Beispiel zur Verfügung. Die daraus folgende Referenz war für mich unbrauchbar, da sie in großen Teilen mit dem mitgelieferten Beispiel identisch war. Solche und ähnliche Gegebenheiten lassen sich immer wieder und überall beobachten.

Um diesen Effekt dieser Begrenzungen deutlich zu machen, empfinde ich die Schilderung eines Experiments als sehr hilfreich, von dem ich vor einigen Jahren einmal gelesen hatte. Leider ist mir die Quelle nicht mehr bekannt, sodass ich sie an dieser Stelle nicht angeben kann. Dennoch möchte ich es Ihnen nicht vorenthalten.

Darin wurde ein Versuchsaufbau beschrieben, bei dem Piranhas in einem Aquarium immer auf der gleichen Seite gefüttert wurden. Zuvor hatte man diese hungrig werden lassen, sodass sie entsprechend stark auf die Fütterung reagierten. Nachdem dieser Vorgang einige Male durchgeführt wurde, ist vor einer weiteren

Fütterung im Aquarium eine Scheibe als Trennung angebracht worden, sodass die Piranhas sich auf der einen Seite befanden und die Fütterung auf der anderen Seite stattfand. Natürlich konnten diese das Futter nicht erreichen, prallten aber beim Versuch, es zu bekommen, entsprechend heftig gegen die zuvor installierte Glasscheibe. Nach einigen Wiederholungen schwammen die Piranhas nicht mehr gegen die Begrenzung. Als dieses Verhalten sich gefestigt hatte, wurde die Glasscheibe wieder entfernt, wodurch der Weg nun wieder frei war. Als Folge blieben die Piranhas allerdings trotz der jetzt wieder entfernten Begrenzung in ihrer Hälfte und schwammen nicht zum eigentlich erreichbaren Futter (Quelle unbekannt).

Dieses Beispiel zeigt auf sehr anschauliche Art und Weise, wie schnell Begrenzungen entstehen und zu einer dauerhaften Verhaltensänderung führen können. Sicherlich ist dies kein wissenschaftlicher Beweis für einen Zusammenhang und dass dieser Sachverhalt so direkt übertragbar wäre, aber es stellt einen starken Hinweis dar, der zur Verdeutlichung letztendlich ausreichend ist.

Am Ende meiner Ausführungen weise ich stets darauf hin, dass wir alle unsere unsichtbaren Grenzen haben und ständig neue hinzukommen. Daher sollten wir uns fortlaufend damit auseinandersetzen. Ziel ist es, in der Lage zu sein, sich die eigenen Begrenzungen bewusst zu machen bzw. sie zu erkennen. Diese Erkenntnis bildet die Grundvoraussetzung dafür, sie wieder „niederreißen" zu können, um wieder offen für neue Lösungen zu sein.

Nachdem ich dieses Beispiel wieder einmal verwendet hatte, kam am darauffolgenden Tag ein Mitarbeiter auf mich zu, der als besonders veränderungsresistent galt. Es handelte sich um eine sehr angenehme und freundliche Person, die bereits sehr viele Jahre im Unternehmen tätig war und die alle sehr schätzten. Das Beispiel hatte bei ihm Wirkung gezeigt und er präsentierte mir voller Elan und Stolz einen Zeitungsartikel. Dieser handelte von einer mit Hochspannung gesicherten Grenze in Kanada, die den Weg für Wildtiere auf die jeweils andere Seite der Grenze versperrte. Nachdem diese

Grenzbefestigung entfernt wurde, hatte man festgestellt, dass selbst nach mehreren Generationen diese nicht mehr vorhandene Grenze von den Wildtieren immer noch nicht überschritten wurde. Es handelte sich hier um ein weiteres anschauliches Beispiel für den oben bereits genannten Sachverhalt. Das Wissen über die vermeintliche Grenze wurde an die nachfolgenden Generationen weitergegeben und verstärkt damit den Effekt.

Je homogener also ein Mitarbeiterstamm eines Unternehmens ist, umso stärker dürfte dieses Phänomen der Begrenzungen ausgeprägt sein. Die allgemeingültige Akzeptanz unter den Mitarbeitern legitimiert die Grenzen.

Es gibt viele Gründe, warum eine Belegschaft eher homogene Strukturen aufweisen kann. Auf der einen Seite werden sich immer die Mitarbeiter bei den Unternehmen bewerben, die sich von den eigenen Werten und Einstellungen her von diesem Unternehmen angezogen fühlen, und auf der anderen Seite wird ein Unternehmen auch nur die Kandidaten einstellen, die seiner Meinung nach am besten zum Unternehmen passen. Dieses Phänomen wird als Gravitation und Selektion bezeichnet *(Friedemann W. Nerdinger, Gerhard Blickle, Niclas Schaper, 2008, 2011, 2014, 2018).*

Sobald eingestellte Mitarbeiter dann ihre Tätigkeit aufnehmen, werden sie sich aus Gründen des Zugehörigkeitsstrebens und der sozialen Erwünschtheit *(Richard J. Gering, Philip G. Zimbardo, 2008)* an die Regeln, ungeschriebenen Gesetze und Wertvorstellungen etc. des Unternehmens weiter anpassen bzw. vom Unternehmen dahingehend entwickelt. Dieser Prozess wird als Sozialisation bezeichnet *(Friedemann W. Nerdinger, Gerhard Blickle, Niclas Schaper, 2008, 2011, 2014, 2018).*

Daraus resultiert ein Dilemma für den Mitarbeiter, aber auch für das Unternehmen. Gerade neue Mitarbeiter sollen ja meist für Veränderung sorgen. Die genannten Prozesse der Anpassung verhindern die gewünschten Veränderungen bis auf nur wenige Ausnahmen. Der neue Mitarbeiter unterstützt so recht bald die vorhandenen Prozesse und Regelungen und das ungeachtet dessen, ob diese Vorgehensweisen dem Unternehmen dienlich sind oder nicht.

Im Gegenzug werden Mitarbeiter, die diese Anpassung nicht vollziehen, schnell anecken und müssen das Unternehmen oft schon bald wieder verlassen. Sie werden dann aufgrund ihres fehlenden Anpassungswillens nicht übernommen, da sie augenscheinlich nicht zum Unternehmen passen.

Diversity bzw. Diversity Management hilft dabei, sich diesem Thema zu nähern. Diversity zeigt dabei den Grad auf, wie stark die Belegschaft dem Querschnitt der Gesellschaft bzw. einer Population entspricht. Aspekte wie Alter, Geschlecht, Qualifikation und Ausbildung, Kultur und Herkunft sowie Betriebszugehörigkeit und Erfahrungshintergrund sind nur einige Punkte, die hier beispielhaft aufgezählt werden sollen. Diversity Management betrachtet genau diese Gesichtspunkte und soll dabei unterstützen, dass eine einseitige Ausrichtung vermieden wird. Je mehr unterschiedliche Sichtweisen, Erfahrungshintergründe und Kompetenzen einem Unternehmen zur Verfügung stehen, umso besser wird es sich auf Veränderungen einstellen können.

Wer sich also mit Chance Management beschäftigt, sollte sich auch mit Diversity Management auseinandersetzen. Optimalerweise wird neben den oben genannten Punkten die Erfahrung langjähriger Mitarbeiter genauso berücksichtigt; wie die neuer Mitarbeiter ohne Betriebsblindheit und mit ihren neuen Impulsen. Eine ausgewogene Balance, sowie die gegenseitige Wertschätzung und Akzeptanz erhöhen die Erfolgschancen.

Bei Diversity Management handelt es sich somit um eine wesentliche Stellgröße für die Anpassungsfähigkeit eines Unternehmens an die ständig steigenden und wechselnden Anforderungen.

Wie schon erwähnt, fällt es Mitarbeitern, aber auch dem Unternehmen als Organisation schwer, einen einmal eingeschlagenen

Lösungsweg wieder zu verlassen. Diversifizierung hilft, dieses Problem zu entschärfen. Neue Impulse und Blickwinkel sowie die größere Anzahl von Sichtweisen sorgen für die Reduktion von Begrenzungen und Stillständen. Diversity Management unterstützt damit wesentlich den Chance-Prozess.

4.7 Die Bedeutung von Konditionierung für das Change Management

Ein großer Teil von Change-Projekten scheitert am offenen oder auch verdeckten Widerstand der Betroffenen. Betroffene zu Beteiligten zu machen, ist da sicher hilfreich, aber nicht ausreichend. Wenn ein Interim Manager eingesetzt wird, ist das oft einer der Gründe dafür. An dieser Stelle soll darauf eingegangen werden, welchen Einfluss das Thema Konditionierung auf ein Veränderungsvorhaben haben kann und welche Risiken davon möglicherweise ausgehen.

Um diese These zu verdeutlichen, zunächst ein paar Hintergrundinformationen zum Thema Konditionierung.

Konditionierung findet im Grunde ständig und in jedem Lebensbereich statt. Konditionierung ist einer von vielen Schutzmechanismen, die ein Individuum vor Schaden bewahren sollen. Wie der Name schon sagt, handelt es sich um einen Mechanismus, der weitgehend autonom abläuft, also ohne dass es einer bewussten Beeinflussung bedarf bzw. diese möglich ist *(David G. Myers, 2004, 2008)*. Und genau hier liegen auch die Schwierigkeiten, die daraus entstehen können.

Wie sicher einigen bekannt ist, entdeckte die klassische Konditionierung Iwan Maslow Anfang des zwanzigsten Jahrhunderts durch sein Experiment mit einem Hund, den er, bevor er ihn fütterte, mit einem akustischen Signal konditionierte. In der Folge zeigte der Hund bereits Reaktionen wie Speichelfluss, sobald der Ton erklang und ohne dass ihm Futter gereicht wurde. Wie heute bekannt ist, ist das Phänomen der klassischen Konditionierung auf jede Spezies übertragbar. Dadurch, dass dieser Prozess der Konditionierung, wie oben beschrieben, ohne eine bewusste Steuerung abläuft, ist es auch kaum möglich, diesen Prozess willentlich zu kontrollieren. Eine einmal stattgefundene Konditionierung lässt sich nur schwer wieder auflösen. Es findet zwar nach einer gewissen Zeit eine sogenannte Löschung statt, aber ebenso erfolgt sofort wieder eine Erholung, sobald die Situation, die die Konditionierung ausgelöst hat, wieder auftritt. Die Konditionierung kann in diesem Moment aufs Neue ihre volle Wirkung entfalten *(David G. Myers, 2004, 2008)*.

Einen weiteren kritischen Aspekt kann die Reizgeneralisierung darstellen. Bei ihr wird von dem ursprünglichen Ausgangsreiz auf andere ähnliche Reize übertragen. Ein negatives Erlebnis bei einem Ereignis mit beispielsweise einem schwarzen Hund kann sich auf die Reaktionen zu anderen schwarzen Hunden oder evtl. auf alle Hunde übertragen bzw. in Verbindung gebracht werden, obwohl von ihnen vielleicht keine Gefahr ausgeht *(Richard J. Gering, Philip G. Zimbardo, 2008; David G. Myers, 2004, 2008)*. Diese Reaktion stellt den bereits genannten Schutzmechanismus dar, der ohne bewusstes Handeln schnell vor Schaden bewahren soll.

Auf den Führungsalltag übertragen kann das bedeuten, ein Mitarbeiter, der aus seiner Sicht wiederholt schlechte Erfahrung mit einer oder verschiedenen Führungskräften oder Interim Managern gemacht hat, könnte bei einer für ihn unbekannten Führungskraft mit Stress und somit verminderter Leistung reagieren, obwohl diese Führungskraft einen kooperativen, unterstützenden Führungsstil pflegt. In diesem Fall wird diese Führungskraft erheblich höhere Anstrengungen unternehmen müssen, um das Vertrauen des Mitarbeiters gewinnen zu können.

Schon bevor mir derartige Hintergründe bekannt waren, fiel mir dieser Prozess bereits bei mir selbst auf.

Während dieser Zeit war ich für einen Automobilzulieferbetrieb tätig, der, wie die meisten Unternehmen in dieser Branche, unter hohem Kosten- und Lieferdruck stand. In diesem Unternehmen gab es einen sehr autoritär führenden Gesamtproduktionsleiter. Kein Ergebnis war ausreichend und die Devise war: „Nur hoher Druck und ständig steigende Anforderungen können gute Leistungen sicherstellen" Dass dem so nur vordergründig ist und kein nachhaltiges Ergebnis sichert, sei hier nur am Rande erwähnt.

In dem Moment, in dem dieser Vorgesetzte den Raum betrat, geriet ich unter Stress und es fiel mir schwer, mich auf meine Aufgabe zu konzentrieren. Dies war nicht nur mir aufgefallen, sondern auch Kollegen, die mich darauf ansprachen.

Als ich eines Tages eine neue Herausforderung antreten wollte und meine Kündigung einreichte, bemerkte ich, dass dieser Effekt immer noch wirkte. Unweigerlich kam für mich die Frage auf, warum ist das so? Angst vor Kündigung oder Repressalien musste ich nicht haben. Was war also der Grund? Es musste noch etwas Anderes geben. Ein paar Jahre später fand ich die Antwort beim Thema „Konditionierung". Obwohl mir dieser geschilderte Effekt bewusst war, hatte ich darauf offenbar keinen Einfluss.

Auf diese Weise wurde mir klar, dass Konditionierung ein wichtiger Aspekt ist, der unsichtbar im Führungsalltag seine Wirkung entfaltet. Nur eine hohe Sensibilität und die Erkenntnis über diese Zusammenhänge ermöglichen es, ein Verständnis aufzubauen, warum sich ein Mitarbeiter unter Umständen auf eine bestimmte Weise verhält bzw. mit scheinbar unerklärlichem Stress reagiert. Unbestritten existieren unzählige weitere Einflussgrößen, dennoch handelt es sich hier um einen sehr wichtigen Punkt.

Was bedeutet das also für das Thema Change Management? Soweit eine Führungskraft oder der Interim Manager diese Hintergründe kennen, können sie sich auf die komplexen Reaktionen des Mitarbeiters besser einstellen und angemessener agieren bzw. reagieren. Das Aufbauen einer vertrauensvollen Zusammenarbeit wird erleichtert, die dem Mitarbeiter eher ermöglicht, sich auf Veränderungen einzulassen. Zusätzlich hilft es ihm, sobald klar ist, welche Perspektive er selbst hat und wenn er dieser Perspektive Vertrauen entgegenbringen kann. Dieses Vertrauen kann allerdings nur gewährleistet werden, soweit dieses auch zu den Personen existiert, die diese Veränderungen einfordern und umsetzen, also meist den Führungskräften oder dem Interim Manager. Neben dem authentischen Vorgehen und Verhalten ist die Einbindung der betroffenen Personen unerlässlich.

Weiter soll an dieser Stelle nicht darauf eingegangen werden. Es geht vielmehr um das Verständnis und die Sensibilisierung zum Einfluss von Konditionierung auf den Prozess des Change Managements und welche Herausforderungen damit für den Interim Manager bzw. die Führungskräfte verbunden sind.

4.8 Trotz Standardisierungsanspruch Spielraum für Mitarbeiter schaffen!

Ein hoher Standardisierungsgrad sichert gleichbleibende Qualität unabhängig von der Person, welche die Arbeitsaufgabe ausführt. Besonders in der Automobilindustrie ist dieser Leitsatz allgegenwärtig und hat selbstverständlich seine Berechtigung. Schließlich ist es einer der Gründe, warum das Qualitätsniveau der Automobile sich in den letzten Jahren deutlich gesteigert hat. Aber gerade diese hohen Standards können heute, wo die Automobilindustrie vor einem dramatischen Wandel steht, ein Wandel, der mit einem nie da gewesenen Veränderungsdruck und -tempo einhergeht, ein Risiko für die erforderlichen Innovationen sein.

Standards und feste Strukturen schränken Kreativität und damit Innovationen stark ein. Die Herausforderung besteht nun darin, den Spielraum hierfür zu schaffen, ohne die hohen Qualitätsstandards zu gefährden. Stress und starker Leistungsdruck wirken sich ebenfalls negativ auf die Innovation aus, soweit sie ein kritisches Maß überschreiten. Besonders gut geeignet, diesen Sachverhalt zu verdeutlichen und den Zusammenhang aufzuzeigen, ist es, diesen in einem Spannungskreuz darzustellen. Stellt man jeweils zwei gegensätzliche Pole in Bezug zueinander auf den Ebenen „hohe Standardisierung / keine Standardisierung" und „konsequente Führung / offene Führung" dar, zeigt dies auf, wo welche Gegensätze auf die Mitarbeiter wirken können.

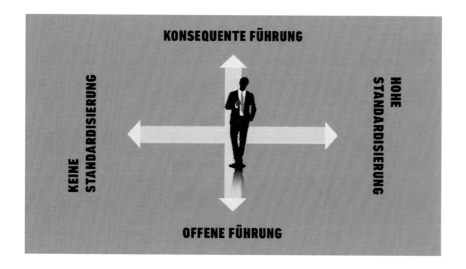

Hieraus sollte deutlich werden, dass die dazugehörigen Extreme kontraproduktiv für eine Zielerreichung sind und Einfluss auf die Zusammensetzung des Mitarbeiterstamms eines Unternehmens haben. Da, wie bereits beschrieben, unterschiedliche Führungskulturen auch unterschiedliche Mitarbeiter dazu bewegen, in einem Unternehmen tätig zu sein bzw. zu werden oder auch nicht bzw. es zu verlassen.

Es geht also vielmehr darum, der Situation entsprechend Freiräume zu gewähren bzw. enge Vorgaben zu machen. Auf den Mitarbeiter bezogen würde es bedeuten, dass eine Person, die sehr selbstständig eine Aufgabe erfüllen kann, sehr viel Spielraum erhält und somit sich entwickeln und ihre Kompetenzen erweitern kann. Ein Mitarbeiter, der eher unsicher ist und noch wenig Erfahrung hat, erhält durch engere Grenzen Sicherheit und kann so in dem für ihn optimalen Rahmen agieren.

Mitarbeiter, die nur Ausführende sind, werden ihre Kompetenzen nicht ausbauen können oder sogar zurückentwickeln sowie Veränderungen stärkeren Widerstand entgegenbringen. Sie sind dadurch schlechter auf die resultierenden Anforderungen vorbereitet. Zusätzlich ist ausreichender Spielraum ein wichtiger Aspekt für Motivation und den langfristigen Erhalt der Arbeitskraft, was sich auf die langfristige Sicherung der Gesundheit auswirkt.

Mitarbeiter, die mehr Selbstbestimmung haben, sind damit eine gute Investition in die Zukunft des Unternehmens, aber auch für die Mitarbeiter selbst.

Ein Interim Manager oder auch eine Führungskraft sollte dieses Potenzial nicht ungenutzt lassen. Typischerweise steht dem Interim Manger nicht viel Zeit zur Verfügung, um das Unternehmen zu verstehen und den Kern seiner Aufgabe zu durchdringen. Die Dynamik eingebundener Mitarbeiter und das dadurch mögliche Vertrauen sind für den Interim Manager eine wertvolle Stütze. Wer einem Mitarbeiter Optionen und eine interessante Aufgabenstellung ermöglicht, wird auch in den meisten Fällen dessen Unterstützung erhalten. Selbstverständlich trifft dies nicht für alle Mitarbeiter zu. Nicht jeder hat das gleiche Interesse an Selbstentfaltung und es wird immer einen Teil geben, der an den alten Gegebenheiten festhält.

4.9 Schwache Führungskräfte, schwache Mitarbeiter!

Immer wieder ist zu beobachten, dass Führungskräfte Mitarbeiter bevorzugen, die eher ein geringes Selbstvertrauen zeigen und tendenziell weniger Kompetenzen besitzen, als sie eigentlich für die ihnen übertragene Tätigkeit benötigen. Speziell in den unteren Führungsebenen werden dann Führungskräfte eingesetzt, die im Grunde keine Führungskräfte darstellen. Hierdurch wird drohender Widerstand gegen die eigene Person reduziert oder ausgeschlossen und Konkurrenz bekommt so erst gar keine Chance. Dahinter stehen unter Umständen die eigene Unsicherheit und die Ängste vor Jobverlust. Das hat fatale Folgen. So entsteht eine Mitarbeiterstruktur, bei der Mitarbeiter Anweisungen ausführen, ohne diese zu reflektieren, und nicht aktiv an der Entwicklung des Unternehmens teilnehmen. Welchen Stellenwert ein mündiger Mitarbeiter für ein Unternehmen darstellen sollte, wird später noch genauer erläutert.

Ein weiterer Aspekt ist die Überforderung von falsch eingesetzten Mitarbeitern. Gerade Führungskräfte auf den unteren Ebenen, die u. U. nicht einmal ausreichend auf dem Weg in die Führungsfunktion begleitet wurden, bekommen massive Probleme bei der Ausführung ihrer Aufgabe. Sie sind zwar meist engagiert und versuchen, alles am Laufen zu halten, es fällt ihnen aber schwer, der eigentlichen Führungstätigkeit nachzukommen. So kommt es zwangsläufig zu einer Abwärtsspirale. Die Ergebnisse verschlechtern sich und die Führungskräfte geraten von unten, also von ihren Mitarbeitern, wie von oben, also von ihren Vorgesetzten, unter Druck. Die Ursachen erschließen sich diesen Führungskräften meist nicht. Der Druck erhöht sich dann zunehmend, bis in letzter Konsequenz ein Austausch dieser Führungskraft unausweichlich scheint. Deshalb ist es für den Interim Manager eine der ersten Aufgaben, herauszufinden, wer im Führungsteam das Potenzial hat, sich weiter zu entwickeln, und wer eine ihm passende Aufgabe erhalten sollte. Eine Trennung als letztes Mittel ist nicht immer auszuschließen. Aber auch in so einem Fall gibt es ausreichend viele Optionen, den Mitarbeiter dabei unterstützend zu begleiten. Ein wertschätzender Umgang ist auch bei diesem Prozess unerlässlich.

4.10 Coachen das bessere Führen; Stärken anstatt Vorgaben!

Immer wieder gibt es in den verschiedensten Medien zu lesen, wie Führungskräfte heute sein sollten und wie das in Zukunft aussehen wird. Andernfalls würden diese Führungskräfte von der Bildfläche verschwinden. Ich denke, das ist zu kurz gesprungen. Niemand kann wirklich vorhersagen, wie die Zukunft aussieht. Sicherlich lassen sich solche und vergleichbare Aussagen gut verkaufen und erregen entsprechende Aufmerksamkeit, was wohl der eigentliche Zweck sein dürfte. Es wird mit großer Wahrscheinlichkeit auch in Zukunft alle Facetten von Führungskräften geben. Warum sollten gerade bei den verschiedenen Führungskräften nicht alle Ausprägungen von Persönlichkeitseigenschaften vorhanden sein? Generell, und das ist auch gut so, wird es weiter eine Tendenz in Richtung des kooperativen Führens und damit selbstbestimmtere Mitarbeiter geben. Dies wird nicht nur von der sogenannten Generation Y vermehrt von den Unternehmen eingefordert, sondern stellt einen grundlegenden Trend über alle Generationen hinweg dar. Informationen sind schnell und jederzeit für jeden verfügbar. Jeder kann sich gut vernetzen und Bewertungen haben direkte Auswirkungen bei der Rekrutierung neuer Mitarbeiter. Die Komplexität der aktuellen und künftigen Herausforderungen macht zunehmend eine offenere Führung erforderlich.

Auf eine Führungskraft wirken gegenläufige Effekte. Sie benötigen einen gewissen Machtanspruch und daher wird es auch immer Führungskräfte geben, bei denen dieser Anspruch stärker ausgeprägt ist als bei anderen. Gerade aber beim Coaching und kooperativen Führungsstil ist dieser weniger stark gefragt. Eine hohe Sensibilität für die Mitarbeiter steht hier im Vordergrund. Einfluss ist dabei eher im Fokus als Macht.

Für den Umgang mit der Stressbewältigung stellt diese Entwicklung für die Führungskraft tendenziell weitere Belastungen dar, was die damit verbundenen Herausforderungen offenbart. Auf der einen Seite müssen die Manager eine ausgeprägte Durchsetzungsstärke mitbringen und trotzdem hohe Sensibilität aufweisen.

Deshalb kann gerade hier Coaching als Führungsinstrument eine gute Wahl sein.

Coaching ist kein geschützter Begriff. Damit gibt er Spielraum, ihn auf beliebige Art und Weise zu interpretieren.

So kommt es auch vor, dass Coaching als eine Form von Hilfestellung, geprägt durch Anweisungen und Ratschläge, wie etwas ausgeführt oder gehandhabt werden sollte, verstanden wird. Gerade bei unerfahrenen oder unsicheren Mitarbeitern hat dies durchaus seine Berechtigung. Es kann Orientierung und Halt vermitteln.

Ein wesentlicher Nachteil dabei ist, dass diese Mitarbeiter u. U. sich kaum oder gar nicht weiterentwickeln können. Ihre eigenen Kompetenzen werden nicht gestärkt oder gefördert, sondern infolgedessen eher geschwächt. Das gilt auch für den Willen, sich selbst für eine Sache einzusetzen. Warum sollte der Mitarbeiter sich die Mühe machen, wenn er doch die Lösung von seinem Vorgesetzten bekommen kann?

Der wohl bessere Ansatz ist, den Mitarbeiter dahingehend zu begleiten, selbst seinen Weg zu finden und eigene Lösungswege aufzustellen. Auch hierbei kann es unterschiedliche Abstufungen geben. Im Idealfall benötigt der Mitarbeiter nur wenig Unterstützung. D. h., es wird ihm nur im geringen Umfang ein Lösungsansatz vorgeschlagen, aber auch nur, wenn er danach fragt bzw. dem zugestimmt hat und mit eigenen Kräften tatsächlich nicht weiterkommt. Ungebetene Ratschläge sind dabei eher kontraproduktiv. So ergibt sich für den Mitarbeiter die Möglichkeit, seinen Horizont zu erweitern und die Dinge aus verschiedenen Blickwinkeln zu betrachten. Auf diese Weise können sich für ihn Lösungswege erschließen lassen, die er ohne diese Unterstützung so nicht gefunden hätte.

Da ich bereits selbst mit verschiedenen Coachings Erfahrungen machen durfte, möchte ich zur Veranschaulichung zwei gegensätzliche Beispiele darstellen.

Die beiden Coachings, um die es nun geht, konnten von ihrer Art und ihrer Wirkung nicht unterschiedlicher sein.

Zunächst zum unterstützenden Coaching ohne Handlungsanweisungen und Vorgaben:

Nachdem wir uns in einem lockeren Gespräch etwas kennengelernt hatten und wir uns darauf verständigten, dass wir das Coaching gemeinsam durchführen wollten, wurde mir zunächst der Ablauf erläutert. Wir legten die Themen fest, die uns sinnvoll erschienen zu bearbeiten. Zunächst gingen wir verschiedene Situationen aus dem Führungsalltag durch. Hierzu dienten Beispiele mit für mich ungeklärten Problemstellungen oder, besser gesagt, die für mich noch Herausforderungen darstellten.

Im Verlauf des Coachings stellte ich immer wieder fest, dass ich gerne einen Vorschlag zur Vorgehensweise bekommen hätte, aber jede Bitte um einen Lösungsansatz lief gnadenlos ins Leere mit dem Hinweis, dass ich dazu meinen eigenen Weg finden müsse. Um dies zu erreichen, wurde immer wieder unterstützend eingegriffen. Letztendlich hat mir dieses Vorgehen für viele Dinge die Augen geöffnet, die mir hierfür bis dahin mehr oder weniger verschlossen waren, und so neue Sichtweisen ermöglichten.

Selbst ganz nebenbei in der Kaffeepause, als ich mich „sicher" fühlte, wurden mir nachhaltige Aha-Effekte beschert.

An eine Gegebenheit erinnere ich mich noch sehr genau. Damit die Tür zum Flur nicht zufiel, legte mein Coach die Fußmatte in die Tür, während sie etwas von außerhalb holen wollte. Ich glaubte zu diesem Zeitpunkt, es ging um die Milch für den Kaffee.

Als sie zur Tür hereinkam, nahm ich wie selbstverständlich die Matte aus der Tür und legte sie wieder an ihren Platz. Als wir uns dann in der Küche einen Kaffee holen wollten, fragte sie mich, warum ich das getan hätte. Völlig verdutzt hat es mir zunächst die Sprache verschlagen und ich fragte: „Wieso sollte ich das nicht machen?" Es wäre doch kein Problem. das eben zu erledigen, und dass ich das gerne tun würde. Ich konnte die Frage nicht wirklich beantworten.

Irgendwann, nachdem ich eine Zeitlang darüber nachgegrübelt hatte, sagte sie nur kurz und knapp: „Und wenn ich das nicht wollte?

Ich wollte nicht, dass Sie das tun, da sie mein Gast sind!" Wieder war ich von der Antwort sehr überrascht und fragte mich, was sie damit bezwecken möchte, ich wollte doch nur hilfsbereit sein und es war doch kein Aufwand für mich? Sie hatte die Hände voll und es lag ja nur nahe, das eben zu tun. Allmählich verstand ich, worauf sie hinauswollte. Sie erklärte mir, dass sie es besser und wertschätzender empfunden hätte, wenn ich zuvor gefragt hätte, ob es ihr recht sei. Meine Handlung, die hilfsbereit sein sollte, war unter diesem Aspekt fehlende Wertschätzung. Bislang hatte ich das von dieser Warte noch nicht betrachtet. Von diesem Zeitpunkt an ist bei mir dies nie wieder vorgekommen und ich habe es als eine echte Bereicherung empfunden. Natürlich ging es nicht um die Fußmatte, aber um die vielen Situationen, in denen es ähnlich sein könnte oder übertragbar ist.

Generell ist dieses Coaching, das über mehrere Wochen einmal wöchentlich ging, von mir sehr positiv empfunden worden. Es stellte für mich in vielerlei Hinsicht eine Unterstützung dar und hatte mir geholfen, mich weiterzuentwickeln. Das gilt für den geschäftlichen Bereich genauso wie für den privaten.

Im zweiten Fall lief es völlig anders. Nachdem wir das erste Kennenlerngespräch und die Klärung der Coaching-Themen hinter uns hatten, zeigte sich der Unterschied recht schnell.

Anfangs waren die Hinweise und Ratschläge, die ich bekam, noch recht hilfreich, aber irgendwann kippte die ganze Situation. Es fühlte sich irgendwann an, als ob ich in meinen fast 30 Jahren Berufserfahrung wenig gelernt und kaum etwas richtig gemacht hätte. Einmal abgesehen davon, dass es zu dem Thema beliebig viele Ansichten geben kann, dürfte das eher nicht der Fall gewesen sein. Vielleicht mag der eine oder andere jetzt den Eindruck fehlender Kritikfähigkeit haben, aber darum geht es hierbei nicht. Sondern um die Wirkung, die von dieser Vorgehensweise ausgehen kann.

Die Folge daraus war, dass ich mich immer unwohler in der Zusammenarbeit fühlte und das Coaching mich mehr und mehr verunsicherte, als das zu tun, was es sollte: mich zu stärken und mir zu helfen, meine Wege und Lösungen zu finden. Es ging im Grunde vorwiegend darum, die Vorgaben möglichst gut umzusetzen und die Erwartungen nicht zu „enttäuschen", die gestellt wurden. Nachdem dann irgendwann auch noch Druck aufgebaut wurde, mehr zu leisten, kam bei mir der Punkt, an dem sich etwas ändern musste. Sehr bald darauf verständigten wir uns, das Coaching zu beenden, womit es gescheitert war und seine Ziele verfehlt hatte.

Ich fühlte mich sehr erleichtert, da ich bereits zunehmend den Eindruck bekommen hatte, dass das Coaching aus meiner Sicht Zeit beanspruchte, die ich anderweitig sinnvoller einsetzen konnte.

Wie schon erwähnt, für Menschen, die noch wenig Berufserfahrung mitbringen, kann diese Art des Coachens durchaus seine Berechtigung haben. Für die Mehrheit dürfte es hingegen wenig erfolgreich sein.

Die Mitarbeiter in einem Unternehmen haben nicht die Möglichkeit, sich aus derartigen Situationen zu nehmen, wie es mir bei diesem Coaching offenstand. Sie haben nur eine beschränkte Chance, Einfluss geltend zu machen, und sind auf einen kompetenten Führungsstil angewiesen.

Aufgrund des aufgezeigten Sachverhaltes ist es meist erfolgsversprechender, beim Coaching durch den Interim Manager oder auch durch einen Vorgesetzten weniger mit Ratschlägen und Anweisungen zu arbeiten, als den Mitarbeiter dabei zu unterstützen, seine Ziele zu erreichen, indem er seine Herausforderungen gut bewältigen kann. Sätze wie „Das muss so gemacht werden" führen zu wenig Identifikation mit einem Vorhaben und verringern die Akzeptanz dem Interim Manager gegenüber. Ziel sollte es sein, die Mitarbeiter erfolgreich zu machen, um auf diese Weise ein gutes Ergebnis wahrscheinlicher zu machen.

Im Kern geht es dabei darum, die Rahmenbedingungen festzulegen, und das im besten Fall mit den Mitarbeitern zusammen. In diesem Rahmen besteht für den Mitarbeiter dann die Möglichkeit, sich selbstbestimmt zu bewegen und einzubringen. Das Ergebnis wird anschließend gemeinsam mit den Zielvorgaben abgeglichen.

4.11 Der Einfluss von Glaubenssätzen auf das Führungsverhalten

Bevor ich das erste Mal den Begriff „Glaubenssätze" hörte, waren mir bereits dieser Sachverhalt und die daraus resultierende Wirkung durch meine Führungstätigkeit aufgefallen und ich nannte dieses Phänomen „Wahrheiten". Bei beiden Begriffen schließt sich der Kreis wieder mit der Aussage: „Wer an etwas glaubt, für den ist es auch so und damit die Wahrheit." Was mich zunächst irritierte, gab mir später den ersten Hinweis auf diesen Zusammenhang. Seit meinem Wechsel 2004 zu einem weiteren Automobilzulieferer hatte ich bis zum Tag meiner Selbstständigkeit durchschnittlich ungefähr einmal pro Jahr einen Vorgesetztenwechsel. Meine eigene Führungslaufbahn war noch vergleichsweise jung und so versuchte ich, so viel wie möglich von diesen Führungskräften zu lernen. Zu meinem Erstaunen passten oft die Aussagen der verschiedenen Führungskräfte nicht zusammen, sie hatten unterschiedliche Ansichten und Paradigmen zum Thema Führung und Herangehensweise an ihre Aufgaben. Was war jetzt richtig und wer lag falsch bzw. richtig? Für sich betrachtet hatte jede Führungskraft plausible Erklärungen für ihre Ansätze, die sie selbstbewusst und ohne zu zweifeln vertrat. Später begegnete mir das Phänomen erneut bei verschiedenen Personalberatern, die schon viele Jahre Erfahrung in ihrer Branche hatten. Besonders deutlich wurde das bei einem Fall, bei dem ich mich gleichzeitig in zwei Bewerbungsprozessen befand. Zwei gestandene Vermittler ließen mich gefühlt unendlich lange Listen von Verhaltensregeln und Auftretensweisen studieren, um beim Bewerbungsprozess möglichst erfolgreich zu sein. Sie ahnen es schon, vieles widersprach sich. Beide beteuerten mir, dass sie wissen, wie es läuft, ihre jahrelange Erfahrung habe es ihnen gelehrt. Was sie nicht bedacht hatten, war die Tatsache, dass es nur ein kleiner Ausschnitt des Ganzen war, was ihre Erfahrung ausmachte, und diese Erfahrungen durch ihr selbst geschaffenes Umfeld immer wieder einseitig bestätigt wurden. In der Psychologie wird das als Wahrnehmungsbias bezeichnet, was diesen Fehler kennzeichnet. Deshalb ist aus meiner Sicht Erfahrung das Gegenteil von Objektivität, sie ist sehr individuell und damit zu 100 % subjektiv. Dennoch sind diese subjektiven Erfahrungen im Großen und Ganzen als positiv zu erachten. Sie geben uns das Handwerkszeug, um in unserem Aufgabenumfeld erfolgreich zu sein. Sie müssen allerdings ständig kritisch hinterfragt und geprüft werden und dürfen nicht als „Wahrheit" und unverrückbar angesehen werden.

Bei der oben geschilderten Vorgehensweise der Handlungsanweisungen durch die beiden Personalvermittler wird nicht berücksichtigt, dass die Authentizität des Bewerbers verloren geht und damit ein sehr wichtiger Aspekt, die Persönlichkeit. Das Auftreten wird holperig, da immer wieder darüber nachgedacht werden muss, was nach den Vorgaben einzuhalten ist. Die Kapazitäten des Gehirns für die bewusste Verarbeitung sind deutlich geringer als für die Verhaltensweisen, die über das Unterbewusstsein gesteuert werden. Da das spontane Reagieren die eigentliche Persönlichkeit und die damit verbundenen Kompetenzen stärker widerspiegelt, sind hierfür deutlich weniger Ressourcen erforderlich als für eingeübte Verhaltensweisen. Der Eindruck wird auf diese Weise stimmig und kompetent anstatt aufgesetzt und gespielt. Es entsteht ein authentisches Bild des Bewerbers, das Vertrauen schafft.

Diese dargestellten Glaubenssätze können dann ihrerseits wieder Tatsachen schaffen, da sie die Realität an sich wieder beeinflussen. Ein aus meiner Sicht besonders anschauliches Beispiel für dieses Phänomen findet sich bei einer großen deutschen technischen Fachzeitschrift, die seit vielen Jahren die Rubrik der Karriereberatung anbietet, bei der Fragen von Lesern beantwortet werden. Hier werden seit Jahren von einem Karriereberater die gleichen Glaubenssätze gebetsmühlenartig propagiert. Mit einem Selbstbewusstsein, das keinen Zweifel an der Richtigkeit dieser Aussagen zulässt. Immer wieder haben Leser in der Vergangenheit versucht, Aussagen und diese Glaubenssätze anzuzweifeln. Stets wurde massiv mit Gegenwehr reagiert, weshalb kaum noch jemand versucht, dagegen aufzubegehren – und das nicht zuletzt, weil es offensichtlich wenig vielversprechend wäre. Aber auch diese Rubrik ist nicht frei von einem Wahrnehmungsbias und erzeugt so eine über die Jahre zementierte „Wahrheit", die eine große Glaubensgemeinschaft findet.

Warum sind jetzt aber Glaubenssätze so verbreitet und in allen Lebensbereichen zu finden? Glaubenssätze geben Struktur, Halt und Sicherheit und so das nötige Vertrauen, Aufgaben selbstwirksam bewältigen zu können. Sie sind untrennbar mit der Menschheit verbunden und wichtiger Teil der Überlebensstrategie, was ihre allgegenwärtige Präsenz erklärt.

Nun zurück zu der Aussage, warum Glaubenssätze für das Change Management und somit für den Interim Manager wichtig sind. Wie sie wirken können und welchen Einfluss sie haben, wurde versucht, mit den genannten Beispielen darzustellen. Die eigentliche Herausforderung ist nun, Glaubenssätze für uns selbst und bei den Mitarbeitern zu erkennen, um sie sich bzw. den Beteiligten bewusst machen zu können. Das Verständnis ihrer Wirkung zu verdeutlichen und so den Weg für Veränderungen zu bereiten, was eine weitere wesentliche Grundvoraussetzung für die Erreichung der gesteckten Ziele darstellt.

Glaubenssätze bieten ihren Besitzern Erklärungen für komplexe Zusammenhänge und Sachverhalte, indem sie diese stark vereinfachen und die Realität in Modellen widerspiegeln. Sie geben ihnen Orientierung und eine Richtung bei der Lösungsfindung und reduzieren damit potenziellen oder realen Stress. Das ist die positive Seite von Glaubenssätzen, die negative Seite ist, sie verhindert teilweise das Weiterentwickeln und das Hinterfragen von Zusammenhängen, was besonders bei sich ändernden Rahmenbedingungen nachteilige Auswirkungen hat. Sie stehen uns deshalb oft im Weg und sind somit nicht nur hilfreich, gerade da sie überall präsent und meist sehr gefestigt sind. Sie bei uns selbst zu erkennen, ist schwierig, aber sie selbst aufzulösen, ist noch schwieriger. Das gilt natürlich auch für die Mitarbeiter. Coaching ist an dieser Stelle wieder ein guter Ansatz, da Coaching durch den Anstoß zum Perspektivwechsel stark mit Erkennen und Auflösen von Glaubenssätzen arbeitet. Durch die geänderte Perspektive werden neue Lösungsansätze und -wege im besten Fall sichtbar. Gefestigte Glaubenssätze, die einen starren Standpunkt kennzeichnen, lassen sich auch gut mit „aktivem Zuhören" begegnen. Zu erkennen ist ein derartiger Standpunkt oft an Sätzen, die mit „Ja, aber …" beginnen. Wer hier mit Gegenargumenten versucht, etwas zu erreichen, wird eher eine Verstärkung der „Ja-aber-Reaktion" bewirken. Das „aktive Zuhören" *(Christian-Rainer Weisbach und Petra Sonne-Neubacher, 2013)* hingegen, welches das Verstandene wiederholt, wird ein „Ja-genau" erzeugen. Was wiederum zur Öffnung des Gesprächspartners für die eigenen Argumente führt. Es bildet die Basis für einen konstruktiven Austausch und dem Weiterkommen in der Sache. Jeder kennt den Schlagabtausch, der sich ständig weiter aufschaukelt. Am Ende hört keiner der Beteiligten der anderen Seite zu und es mündet unweigerlich in einer Ergebnislosigkeit. Letztlich handelt es sich um einen Weg, der darauf abzielt, die eigenen Interessen zunächst zurückzustellen, und der einen gewissen Aufwand und Disziplin mit sich bringt, dann aber zum nachhaltigen und gewünschten Erfolg führen kann.

Wer also Veränderungen erreichen möchte, sollte Glaubenssätze in seine Betrachtungen und Vorgehensweise mit einbeziehen und diese gezielt, aber behutsam beim Change-Prozess thematisieren.

Hier noch ein paar gängige Beispiele von Glaubenssätzen, die jedem bekannt sein dürften:

- Wer schläft, den bestraft das Leben!

- Der frühe Vogel fängt den Wurm!

- Das Leben ist kein Wunschkonzert!

- Besser den Spatz in der Hand als die Taube auf dem Dach!

- Schuster, bleib bei deinen Leisten!

- Hilf dir selbst, sonst hilft dir keiner!
- Jeder ist seines Glückes Schmied!

und viele mehr ...

Oft sind Glaubenssätze auch nicht explizit, sondern eher verdeckt und nicht offen zu erkennen.

Neben den Glaubenssätzen spielen die impliziten und expliziten Einstellungen eine wichtige Rolle. Sie sind eng mit den Glaubenssätzen verwandt. Im Gegensatz zu den expliziten Einstellungen, die den Inhabern bewusst sind, sind die impliziten Einstellungen der Person selbst nicht bewusst und sind für Außenstehende nicht ersichtlich. Sie beeinflussen aber dennoch das Denken und das Handeln. So kann es vorkommen, dass das Handeln und die getroffenen Aussagen voneinander stark abweichen. Diese Inkongruenz kann bei außenstehenden Personen zu Irritationen führen. Schließlich stützen sie sich bei ihrer Zusammenarbeit auf Aussagen, die von den Personen, mit denen sie zusammenarbeiten, gemacht werden. Wenn das Handeln dann von diesen Wahrnehmungen abweicht, stimmt es mit den Erwartungen nicht überein. Es führt zu Fehleinschätzung und Verunsicherung im Umfeld. Berechenbarkeit und Planbarkeit sind nur schwer möglich, was die Zusammenarbeit verständlicherweise erschwert.

Da die impliziten Einstellungen des Mitarbeiterteams für den Interim Manager nicht erkennbar sind, aber großen Einfluss auf die Handlungen haben, stellen sie genauso wie die Glaubenssätze bei Veränderungsprozessen eine weitere zentrale Herausforderung dar.

4.12 Das richtige Maß: Intrinsische und extrinsische Motivation

Bezogen auf den betrieblichen Ablauf ist intrinsische Motivation der Teil der Arbeitsmotivation, der vom Mitarbeiter selbst ausgeht und „keinen" Anreiz von außen benötigt. Sie wird durch Motive, die für die Mitarbeiter wichtig sind, getragen. Es handelt sich um ein

Verhalten seiner selbst willen *(David G. Myers 2004, 2008)*. D. h., der Mitarbeiter muss einen Sinn in seiner Aufgabe sehen und welcher Nutzen sich daraus für ihn oder die Gemeinschaft ergibt. Auch die persönlichen Wertvorstellungen spielen eine entscheidende Rolle. *(Friedemann W. Nerdinger, Gerhard Blickle, Niclas Schaper, 2008, 2011, 2014, 2018; Leontjew,1977)*. Mitarbeiter mit einer hohen intrinsischen Motivation stellen eine wichtige Säule für jede Führungskraft dar. Sie entlasten die Führungskraft erheblich. Die Komplexität, die Geschäftsprozesse aufweisen, kann schon lange nicht mehr von einzelnen Personen erfasst werden. Eine Vernetzung der umfangreichen Kompetenzen und Blickwinkel aller Mitarbeiter ist deshalb unweigerlich der einzige nachhaltige Weg, der den vielschichtigen Anforderungen gerecht wird. Ein Unternehmen kann an dieser Stelle mit einem Organismus und bei den kognitiven Gemeinschaftsleitungen mit dem Gehirn verglichen werden. Wie einzelne Neuronen, also Gehirnzellen, untereinander vernetzt zu außergewöhnlichen Leistungen fähig sind, kann sich ein Unternehmen diesen Effekt ebenfalls zu Nutze machen.

Intrinsische Motivation kann allerdings durch falsches Führungsverhalten schnell gefährdet werden. Fehlende Wertschätzung und autoritäres Verhalten sorgen schnell dafür, dass dieser genannte Nutzen verloren geht. Einmal zerstörtes Vertrauen ist nur mit sehr viel Mühe wiederzuerlangen. Nicht zu unterschätzen ist auch hier wieder die Reizgeneralisierung, die bereits erwähnt wurde. In diesem Zusammenhang bedeutet das, wenn ein Vorgesetzter „verbrannte Erde" hinterlassen hat, wird die darauffolgende Führungskraft es deutlich schwerer haben, da auch sie mit dem Verhalten des Vorgängers in Verbindung gebracht wird.

Extrinsische Motivation hingegen wird beispielsweise eher von Interventionen des Vorgesetzten oder Vergütung erzeugt. Sie stellt das Verhalten aufgrund von versprochener Belohnung oder angedrohter Bestrafung dar *(David G. Myers, 2004, 2008)*. Der wesentliche Nachteil besteht darin, dass sie ihre Wirkung schnell verliert, sobald dieser externe Reiz wieder entfällt. Was so viel bedeutet, wenn der Vorgesetzte nicht anwesend ist oder keinen Zugriff auf das hat, was geschieht, sinkt auch die Arbeitsleistung wieder, was zwangsläufig früher oder später der Fall ist, da niemand verständlicherweise überall zur gleichen Zeit sein kann.

Höhere Gehälter beispielsweise führen zu schneller Gewöhnung und haben aus diesem Grund nur eine begrenzte kurzzeitige Wirkung. Das Interesse an der Aufgabe kann hierbei mit Auswirkungen auf das Ergebnis in den Hintergrund geraten. Besonders kritisch ist der scheinbare Erfolg, der mit extrinsischer Motivation einhergeht. Vorgesetzte, die vorwiegend auf extrinsische Motivation setzen, fühlen sich in ihrer Vorgehensweise bestärkt, ohne zu bemerken, dass es sich nicht um einen nachhaltigen Erfolg handelt. Die Konsequenzen kommen sehr häufig erst deutlich später zum Tragen. Sie führen dann aber bei den Führungskräften nicht mehr zu einer Verknüpfung zwischen ihrem Handeln und der Wirkung, die daraus resultiert. Die Ergebnisse verschlechtern sich und die Ratlosigkeit nimmt zu. Es gibt sicherlich Situationen, in denen diese Art der Motivation ihre Berechtigung hat, sie sollte aber sehr sparsam eingesetzt werden und erst dann, wenn alle anderen Möglichkeiten ausgereizt sind. Soweit es erforderlich ist, können auch beide Formen der Motivationsförderung eingesetzt werden. Das ist sehr abhängig von der Ausgangssituation.

Was bedeutet das nun für die Praxis? Hierzu lohnt es sich, die Ergebnisse der Pittsburgh-Studie von Neuberger (1974) anzusehen. Es werden darin Einflussgrößen, die zu Unzufriedenheit führen, und jene, die Motivation ermöglichen, unterschieden. Wie im folgenden Kapitel noch genauer erläutert wird, werden sie entweder als Motivations- oder Hygienefaktoren bezeichnet. Bei den Motivationsfaktoren kommen Aspekte zum Tragen wie Verantwortung, die ein Mitarbeiter übernehmen kann, oder auch der Arbeitsinhalt an sich, um zwei Beispiele zu nennen. Das ermöglicht, den Bogen zur intrinsischen Motivation zu schlagen. Wer sich mit (s)einer Aufgabe identifizieren kann, wird mit seiner Tätigkeit zufriedener sein und höher motiviert. Es mag also die Frage aufkommen, wie kann intrinsische Motivation beeinflusst werden? Dazu später mehr.

Auf der anderen Seite müssen Hygienefaktoren, wie beispielsweise Einkommen und die Zusammenarbeit mit dem Vorgesetzten, positiv wahrgenommen werden, um Unzufriedenheit zu vermeiden. Wichtig hierbei ist, dass dies noch keinesfalls zu Motivation führt, sondern lediglich eine Basis für Motivation geschaffen wird *(Friedemann W. Nerdinger, Gerhard Blickle, Niclas Schaper, 2008, 2011, 2014, 2018, S.467)*. Folglich kann Geld nicht motivieren, aber demotivieren. Der Versuch, ausschließlich mit höheren Gehältern oder andere Incentives zu motivieren, wird aus diesem Grund unweigerlich scheitern.

Es ist daher auch nicht verwunderlich, dass intrinsische Motivation mit einem qualitativen Ergebnis und extrinsische Motivation mit einem quantitativen Ergebnis einhergeht *(Friedemann W. Nerdinger, Gerhard Blickle, Niclas Schaper, 2008, 2011, 2014, 2018)*. Übertragen auf die Produktion resultiert daraus: Wenn ein Mitarbeiter aufgrund von Akkordentlohnung eine hohe Stückzahl produziert, wird er tendenziell weniger achtsam mit den Produktionsanlagen umgehen, noch wird er auf die Qualität des Ergebnisses fokussiert sein. Selbstverständlich spiel hier die persönliche Einstellung des Mitarbeiters ebenfalls eine große Rolle.

Einerseits sind erhöhter Verschleiß und Anlagenstillstände sowie hoher Ausschuss die Folgen und Reklamationen durch Schlechtteillieferungen auf der anderen Seite. Für einen Mitarbeiter stehen in diesem Fall sein Gewinn und das Vermeiden von Sanktionen im Vordergrund.

Da Qualität auch die Zielausbringung beinhaltet, wird ein Mitarbeiter bei intrinsischer Motivation nicht nur versuchen, die erforderlichen Stückzahlen zu erreichen, sondern auch die für die Aufgabenerfüllung wichtigen Rahmenbedingen berücksichtigen, also eine qualitativ hochwertige Arbeitsleitung abgeben.

Nun mehr zur Frage, was eigentlich getan werden kann, um Einfluss auf intrinsische Motivation zu nehmen. Zunächst könnte angenommen werden, dass intrinsische Motivation beim Mitarbeiter liegt und von der Führungskraft nicht beeinflussbar ist. Ohne Zweifel hat hier der Mitarbeiter den größeren Anteil. Nicht jeder Mitarbeiter möchte aktiv eingebunden werden und stattdessen vielleicht nur sein Geld verdienen. Tendenziell dürfte die Zahl der Mitarbeiter, die weniger komplexe Tätigkeiten ausführen, hier höher liegen, als es bei denen der Fall ist, die anspruchsvolleren Aufgaben nachgehen.

Dennoch ist es möglich, intrinsische Motivation positiv zu beeinflussen, indem die Aufgabenstellung und der Entscheidungsspielraum entsprechend attraktiv gestaltet werden. Die Führungskraft hat also durchaus Möglichkeiten, aktiv darauf einzuwirken. Wenn ein Mitarbeiter konstruktiv und wertschätzend in die Aufgabengestaltung mit eingebunden wird, erzeugt dies ein Gefühl der Selbstbestimmtheit, was sich dann wiederum auf das Stressempfinden und die Arbeitszufriedenheit positiv auswirkt. Der Mitarbeiter sollte auf diese Weise dazu gebracht werden, bei der Sache und nicht beim Geld zu sein. Dadurch wird in den meisten Fällen eine sich selbstverstärkende Motivation sichergestellt.

Das reine Abarbeiten von Vorgaben hingegen ist kontraproduktiv und wird zum Gegenteil von intrinsischer Motivation führen. Es ist deshalb darauf zu achten, nicht zu stark mit Vorgaben zu arbeiten. Eine Aufgabe muss möglichst spannend ausgelegt werden und dem Mitarbeiter die Möglichkeit bieten, ein Teil vom Ganzen zu sein.

Generell gilt also, der Interim Manager und die Führungskraft haben sehr wohl vielfältige Möglichkeiten, die intrinsische Motivation zu beeinflussen.

Um diese These abzurunden, ein Beispiel:

Einem Mitarbeiter wird die Aufgabe übertragen, den Aufbau eines neuen Lagers zu übernehmen.

Hierzu wird ihm ermöglicht, die Aufgabe mit Entscheidungsspielräumen in regelmäßiger Abstimmung und unter

Einhaltung von zuvor festgelegten Rahmenbedingen durchzuführen, anstatt Anweisungen und umfangreiche Vorgaben des Vorgesetzten befolgen zu müssen.

Durch das Festlegen des Ziels, das darin besteht ein Lager aufzubauen in dem alle Teile schnell und unkompliziert gefunden sowie Teile gut ein- und ausgelagert werden können, um die Produktion sicher zu versorgen, ist die Wahrscheinlichkeit deutlich größer, bessere Lösungen zu finden. Trotzdem besteht für die Führungskraft immer die Möglichkeit, einzugreifen und bei Bedarf gegenzusteuern, falls es erforderlich wird. Positiver Nebeneffekt dabei: Der Mitarbeiter wird sich mit dem Lager und dem System immer identifizieren. Ohne es offiziell benennen zu müssen, wird der Mitarbeiter zum Paten und die Funktionsfähigkeit des Lagers eigenverantwortlich sicherstellen. Um diese Identifikation mit Produktionsanlagen zu gewährleisten, ist das Benennen von Paten beim Lean Management schon lange gängige Praxis.

Obwohl ich seit vielen Jahren auf diese Art und Weise vorgehe, bin ich von der Wirkung, die von dieser eigentlich simplen Vorgehensweise ausgeht, selbst immer wieder überrascht! Die positive Rückmeldung von den involvierten Mitarbeitern empfinde ich als „zweites Gehalt", wie ich es nenne.

So kamen eines Tages am selben Tag zwei Mitarbeiter unabhängig voneinander auf mich zu, mit fast identischen Worten, und sagten: „Ich lebe hier meinen Traum!"

Das Ergebnis war also eine hohe Motivation, verbunden mit guten Lösungen, die von den Mitarbeitern erarbeitet wurden und die sie auch noch vollständig selbständig umsetzten.

Da es sich dabei um qualitativ hochwertige Arbeit handelte, war die Fehlerquote entsprechend niedrig.

Am Ende kann gesagt werden: Es ist absolut empfehlenswert, bevorzugt auf intrinsische Motivation als Führungsinstrument zu setzen. Ganz ohne extrinsische Motivation dürfte es allerdings dennoch nicht gehen. Nicht jeder Mitarbeiter ist darauf aus, eigenverantwortlich zu arbeiten. Es wird also auch immer einen Anteil geben, der sich nicht auf diese Art und Weise zu Leistung motivieren lässt und entsprechende Vorgaben benötigt. Da aber nur Ergebnisse vergütet werden sollten und ein Unternehmen nur durch Resultate und nicht durch Anwesenheit existieren kann, hat extrinsische Motivation an dieser Stelle ebenfalls ihre Berechtigung. Wie so oft kommt es auf ein gesundes Verhältnis an.

4.13 Warum Mitarbeitereinbindung keine „Sozialromantik" ist!

In einem Zeitalter, in dem immer mehr Aufgaben durch künstliche Intelligenz übernommen werden, nimmt ein kooperativer Führungsstil bzw. die Führungskraft als Coach und Dienstleister einen zunehmend zentraleren Stellenwert ein. Auch wenn inzwischen Roboter Emotionen erkennen und versuchen, sie nachzustellen, ist die komplexe Herausforderung von Empathie als Grundlage für die Führung von den Mitarbeitern (noch) nicht durch Roboter oder Maschinen zu ersetzen. Motivation, Stärkung und die Förderung der Mitarbeiter werden in Zukunft daher noch mehr im Fokus des Managements und der Führungskräfte stehen, als es ohnehin schon der Fall ist. Besonders erwähnenswert ist in dieser Hinsicht der Blick auf die sogenannten Hygiene- und Motivationsfaktoren – weiter oben bereits angesprochen – *(Neuberger, 1974, © W. Kohlhammer GmbH)*, die die Ergebnisse der Pittsburgh-Studie von Herzberg et al. (1959) darstellen. Hygienefaktoren sind demnach beispielsweise Aspekte wie

Gehalt, gute und wertschätzende Beziehung zum Vorgesetzten etc. Sie stellen die Voraussetzungen dar, die gegeben sein müssen, damit es nicht zu Demotivation kommt. Um wirklich Motivation bewirken zu können, sind zusätzlich die Motivationsfaktoren wie Anerkennung, Arbeitsinhalte und Verantwortung erforderlich. Ein Mitarbeiter muss in eine Aufgabe einbezogen werden und diese in einem gewissen Rahmen selbständig erfüllen können. Folglich spielen hier Selbstbestimmtheit, Eigenverantwortung und das Interesse an der Aufgabe, die den jeweiligen Fähigkeiten entsprechen muss, eine entscheidende Rolle und wirken sich speziell auf die intrinsische Motivation positiv aus, was sich entsprechend im Arbeitsergebnis zeigen dürfte *(Friedemann W. Nerdinger, Gerhard Blickle, Niclas Schaper, 2008, 2011, 2014, 2018)*.

An dieser Stelle ist auch der Grund zu suchen, warum ein Mitarbeiter stets wissen sollte, in welcher Form seine Tätigkeit dem Ergebnis dienlich ist. Von Mitarbeitern, die in der Vergangenheit eher autoritär geführt wurden, habe ich oft gehört: „Ich bin doch nur ein kleines Rädchen, was soll ich schon bewegen? Es kommt doch gar nicht darauf an, was ich mache, da es ohnehin nicht auffällt." Solche Aussagen mit immer wieder erstaunlich gleichem Wortlaut, die unabhängig vom Unternehmen und Branche vorkamen, zeigen, wie viel es nach wie vor noch auf diesem Gebiet der Einbindung von Mitarbeitern zu verbessern gibt. Und gerade hier sehe ich das große Potenzial, das wahrscheinlich in einer hohen Zahl von Unternehmen nicht ausreichend ausgeschöpft wird. Die vielschichtigen und weit verbreiteten Managementtools, Prozessverbesserungen und Kennzahlen werden sehr häufig umfangreich und kompetent genutzt. Zum großen Erstaunen der Beteiligten werden die gewünschten Resultate dennoch oft nicht erreicht, da dieser oben genannte Punkt nicht ausreichend Beachtung findet.

Aus meiner Sicht sollten „zufriedene" Mitarbeiter – es wird wohl immer jemanden geben, der nicht zufrieden ist – der Weg zum Ziel sein. Die Zufriedenheit der Mitarbeiter bildet die Basis für die gesteckten Ziele. Zufriedene Mitarbeiter müssen so nicht als Ziel definiert werden, da dieser Punkt sich zum Paradigma des Unternehmens entwickelt, das von allen Mitarbeitern verstanden und getragen wird.

Aussagen wie „Ich bin Techniker, ich möchte mich damit nicht auseinandersetzen." und die daraus abzuleitende Einstellung halte ich bei Führungskräften für problematisch.

Als nächstes möchte ich auf ein Beispiel aus meiner Praxis eingehen, das zum Verständnis von Rollenverhalten beitragen soll und aufzeigt, welche Wirkung davon ausgehen kann.

Eine Schulung zu einem schwierigen Mitarbeiterthema zeigte mir, wie wichtig das Rollenverständnis eines Mitarbeiters im Unternehmen ist. Es geht bei dem Beispiel mehr darum, welche Rolle dem Mitarbeiter durch seine Führungskräfte und evtl. auch durch die Kollegen zugestanden wird, als um die, in der er sich zunächst selbst sieht.

In dieser Schulungsveranstaltung kam es zu einem Rollenspiel. Meine Aufgabe bestand darin, einen Mitarbeiter darzustellen, der ein kritisches Problem hatte. Ohne dass es sich hierbei um die Realität handelte, bekam ich den Stress, der mit dieser fingierten Situation und Rolle verbunden war, deutlich zu spüren. Ich konnte deutlich wahrnehmen, wie die Nervosität in mir aufstieg und ich anfing, zu schwitzen. Am Ende war ich froh, dass ich mich nicht wirklich in der Situation befand und ich wieder aussteigen konnte.

Diese Erfahrung hat mich sehr erstaunt, gab mir aber die Gelegenheit, das Thema für mich neu zu bewerten.

Der Schluss, den ich daraus zog: Stelle jemanden in eine Rolle und er wird sie ausfüllen, ob er will oder nicht!

Für den Führungsalltag bedeutet das: Wenn einem Mitarbeiter Kompetenzen, die seinen Fähigkeiten entsprechen, zugetraut werden, wird er diese dann auch sehr wahrscheinlich zeigen bzw. aufbauen; umgekehrt führt es leider eben auch dazu, dass ein Mitarbeiter unter seinen Möglichkeiten bleibt und an Kompetenz verliert, wenn ihm diese Kompetenzen nicht zugetraut werden.

Führungskräfte, die diesen Sachverhalt nutzen, geben ihren Mitarbeitern die Chance, zu wachsen und sich zu entwickeln. Die Problemlösungskompetenz und die Innovationsfähigkeit der Mitarbeiter werden so erheblich gesteigert. Es entsteht ein starkes und handlungsfähiges Team. Ohne jegliche Investitionen tätigen zu müssen, kann ein Unternehmen seine Ergebnisse auf diese Art und Weise deutlich verbessern.

Immer wieder habe ich von Mitarbeitern und Führungskräften den Satz gehört: „Der Mensch ist von Natur aus faul." Abgesehen davon, dass er mir nie sonderlich zugesagt hat, konnte ich mich nicht von dem Gedanken lösen, dass er auch nicht richtig sein kann. Warum, war mir lange Zeit nicht bewusst. Bis zu dem Zeitpunkt, als ich auf das Buch von Gerald Hüther „*Bedienungsanleitung für ein menschliches Gehirn*" (2001, 2004) aufmerksam geworden bin. Gerald Hüther ist seit vielen Jahren ein renommierter und anerkannter Gehirnforscher aus Göttingen.

Was zunächst etwas merkwürdig anmutete, stellte sich später als eines der interessantesten und kurzweiligsten Bücher, die ich bis dahin gelesen hatte, heraus. Bis zu diesem Zeitpunkt hatte ich von Gerald Hüther noch nichts gehört und wusste nicht viel über sein Fachgebiet.

In seinem Buch beschreibt er, wie es aufgrund der Evolution überhaupt zur Ausbildung des menschlichen Gehirns kommen konnte. Der wesentliche Aspekt davon war und ist, dass es für den Menschen einen Bedarf bzw. ein Erfordernis gab, um sich in dem Umfeld der Tiere zu behaupten. In jeder Disziplin existierten bereits eine oder mehrere Gattungen, die einfach besser waren als der Mensch. Sie konnten besser schwimmen, schneller laufen oder sie konnten fliegen, was sich für den Menschen erst gar nicht als Option eröffnete. Es gab also einen Bedarf für Intelligenz, um sich eine eigene Nische zu erschließen und auf diese Art und Weise zu überleben. Hieraus folgt auch die Antwort auf meine zu der Zeit noch offene

Frage, warum die Aussage „Der Mensch ist von Natur aus faul" falsch ist. Vielmehr muss diese Aussage durch eine andere ersetzt werden: „Ein Mensch macht das, was für sein Überleben und für ihn sinnvoll erscheint bzw. ist." Bezogen auf den betrieblichen Alltag wird schnell klar, warum einem Mitarbeiter die Bedeutung seiner Tätigkeit vermittelt werden muss. Andernfalls ist er gezwungen, ständig die Energie aufzubringen, gegen seine Natur zu arbeiten. Was nicht nur zu einem schlechteren Ergebnis führt, sondern auch zu vorzeitiger Ermüdung und höherem Verschleiß. Die negativen Folgen für die Gesundheit und das Betriebsergebnis werden nicht lange auf sich warten lassen.

Die Aufgabe der Führungskraft ist deshalb nicht nur die erfolgreiche Einbindung der Mitarbeiter, sondern auch die richtigen Mitarbeiter auszuwählen und sich ggf. als letztes Mittel konsequent von den falschen Mitarbeitern zu trennen. Häufig wird über mehrere Jahre versäumt, auf diese Weise vorzugehen, oder Mitarbeiter werden falsch eingesetzt, die daraufhin auf der nicht zu ihnen passenden Position scheitern (müssen). Der Fehler liegt allerdings nicht bei dem Mitarbeiter, sondern bei der Führungskraft. Ein Fehler, an dem u. U. dadurch festgehalten wird, dass er nicht korrigiert wird, obwohl er eigentlich offensichtlich ist.

Aus meiner Sicht ist bei der Auswahl der geeigneten Mitarbeiter das „Wollen" wichtiger als das „Können". Zwar muss ein entsprechendes Potenzial vorhanden sein, da sonst das „Wollen" auch nicht zielführend ist, aber das „Können" ohne das „Wollen" ist nutzlos. Im Gegenteil! Das Know-how wird an dieser Stelle tendenziell eher gegen erforderliche Veränderungen eingesetzt und erschwert diesen Prozess zusätzlich. Diejenigen, die etwas voranbringen möchten und das dafür erforderliche Potenzial besitzen, werden schnell die nötigen Fähigkeiten und das Wissen erlangen, um eine Aufgabe kompetent auszufüllen.

Mit diesen Ausführungen konnte ich hoffentlich deutlich machen, welchen Stellenwert die Einbindung jedes Mitarbeiters in die Prozesse des Unternehmens hat und warum es sich nicht um „Sozialromantik" handelt, die versucht, den Mitarbeitern alles recht zu machen. Ganz im Gegenteil, Mitarbeiter von Betroffenen zu Beteiligten zu machen und dabei konsequent anstatt autoritär zu führen, stellt einen deutlich höheren Anspruch an die Akteure dar und erfordert damit wesentlich umfangreichere Kompetenzen sowie Professionalität. Gerne erläutere ich das immer mit den Worten: „Viele Schultern tragen mehr als zwei! Warum also nicht das Potenzial aller Mitarbeiter nutzen, anstatt sie zum geistigen Abschalten zu zwingen?"

4.14 Die Produktion, der Spiegel des Unternehmens

Warum ist die Produktion der Spiegel des Unternehmens? Alle Prozesse, die zuvor weitgehend im Verborgenen abgelaufen sind, zeigen sich im Ergebnis, also in der Umsetzung. Jeder kann es sehen und seine mehr oder weniger objektiven Schlüsse ziehen. Sehr häufig werden die Hintergründe allerdings vernachlässigt.

Ob es Entwicklung, Vertrieb, Einkauf, Industrial Engineering (IE), aber auch Human Resources ist, alle haben einen großen Einfluss darauf, wie das Ergebnis am Ende aussieht. Beispielweise können Produkte sehr fertigungsfreundlich entwickelt werden oder eben auch nicht. Das kann zu einem deutlichen Unterschied führen und hat großen Einfluss darauf, ob die Ausschussquote und die laufenden Kosten gering ausfallen.

Bei der Beschaffung der Produktionsanlagen und Betriebsmittel durch IE zieht sich der Einfluss weiter durch. Hier wird der Grundstein dafür gelegt, inwieweit die Produktionsmittel eine hohe Prozessstabilität aufweisen und häufige Anlagenstillstände bzw. fehlerhafte Teile weitgehend vermieden werden.

Der Einkauf und die Beschaffung haben erheblichen Einfluss auf die Qualität des Rohmaterials, das verarbeitet wird, und die Teile, die in der Produktion verwendet werden. Die oft für den Einkauf gesteckten Einsparziele sind so schnell eine Mogelpackung und führen bei der Gesamtbetrachtung zu deutlichen Mehrkosten, welche die vermeintlichen Einsparungen wieder zunichtemachen. So können beispielsweise Schwierigkeiten bei der Weiterverarbeitung und der Qualität des Produktes entstehen, die zu erhöhtem Ausschuss führen.

Dem Vertrieb kommt ohne Zweifel eine wichtige Rolle im Unternehmen zu. Nur wenn ausreichend Aufträge vom Vertrieb beschafft werden, gibt es eine Basis für das Geschäftsmodell. Aber ein Zuviel kann sich auch nachteilig auswirken. Wenn ein Produkt zu günstig angeboten wird oder Zusagen für Aufträge an den Kunden gemacht werden, die von den Kapazitäten nicht gedeckt sind, kann das ebenfalls zu einer Verschlechterung der Qualität führen. Hoher Zeitdruck in der Produktion erhöht das Fehlerpotenzial und damit das Risiko von Ausschuss und Reklamationen. Kosten durch Sonderaktionen wie teure Überstunden oder zu häufiges Rüsten sind zwei weitere Beispiele dafür. Aber auch Themen der technischen Machbarkeit erfordern ein gutes Fingerspitzengefühl durch den Vertrieb.

Ein wichtiger Sparringspartner für die Produktion und deren Führungskräfte sowie selbstverständlich von allen anderen Abteilungen ist natürlich auch Human Resources. Die Auswahl des richtigen Personals ist genauso entscheidend wie die Entwicklung und Weiterbildung der Mitarbeiter, einschließlich ihrer Vorgesetzten. Nicht zu vergessen sind die Gesundheitsprävention und Themen der Arbeitssicherheit. Nur gut ausgebildete Mitarbeiter mit passgenauen Qualifikationen können entsprechende Qualität in der Produktion abliefern und den steigenden Anforderungen gerecht werden.

So lohnt es sich also, die Produktion nicht nur aus der Sicht der Produktion zu betrachten, sondern die Information aus der Produktion für alle Teile des Unternehmens zu nutzen. Gerade der offene Austausch von Informationen und die fortlaufende Kommunikation unter den verschiedenen Unternehmensbereichen gewährleisten die richtigen Prioritäten bei den jeweiligen Aufgaben. Durch das Ausschöpfen dieses Potenzials kann sich ein Unternehmen deutlich stärker weiterentwickeln, als wenn der Blick nur auf das

Sichtbare in der Produktion fällt. Gemäß dem Motto: „Da ist es zu sehen, dann muss es dort auch herkommen und behoben werden."

Manchmal kommen Aussagen wie: „Produktion ist doch leicht, das kann doch jeder." Diese unhaltbare These ist mir nicht nur einmal in meiner Praxis begegnet. Sie wird von Personen aufgestellt, die das Thema Produktion nicht ausreichend durchdrungen haben und deshalb die Komplexität unterschätzen. Sicher lassen sich zunächst irgendwie erstmal Teile durch die Produktion schleusen und es scheint bei guten Abläufen zunächst auch gar nicht so schwer zu sein. Der scheinbare Erfolg trügt und führt dann häufig zu diesem falschen Schluss. Allerdings wird das den Herausforderungen, die sich durch die Produktion ergeben, nicht gerecht.

Erst wer sich ausreichend mit dieser Thematik beschäftigt und alle Einflussgrößen, wie sie oben dargestellt wurden, in der Tiefe durchdringt, wird die Tragweite und den tatsächlichen Anspruch an die Produktion wirklich verstehen. Der Unterschied zwischen dem oberflächlichen „Produktion ist leicht" und den Gesamtzusammenhängen wird deutlich. Es zeigt sich, dass die genannte These über die Produktion nicht haltbar ist.

Besonders was die vielfältigen Facetten der Mitarbeiterführung angeht, stellt es immer wieder eine anspruchsvolle Aufgabe für die Produktionsverantwortlichen dar. Aus diesem Grund steht jener Gesichtspunkt auch immer wieder im Fokus meiner Betrachtungen.

4.15 Die Produktion „spricht"!

In der Automobilindustrie ist die Null-Fehlerstrategie ein anerkanntes Ziel, was von allen OEMs, also allen Automobilherstellern und allen Zulieferunternehmen, seit Jahren konsequent verfolgt wird. Ohne Zweifel hat dieses Vorgehen eine deutliche Verbesserung der Qualität bewirkt und sie so erfolgreich gemacht. Null Fehler dürfte dennoch kein Hersteller oder Zulieferer erreicht haben. Dieses Ziel gerade deshalb konsequent weiterzuverfolgen, trotz des Wissens, dass Fehlerfreiheit nicht zu erreichen ist, ist absolut richtig! Auf diese Weise werden alle Kräfte und Ressourcen darauf ausgerichtet, ständig besser zu werden. Es ist das Paradigma, die Philosophie, die dabei entscheidend ist. Warum also diesen Gedanken nicht auf andere Themen ausweiten? Wer Ziele konsequent verfolgt, ohne diese ständig anzuzweifeln, wird ohne Frage mehr erreichen als jemand, der sich nicht auf diesen Weg begibt.

Weshalb also die Vorgehensweise nicht auch auf die kleinste Einheit des Unternehmens übertragen, auf die Mitarbeiter? Ziel muss es deswegen sein, jeden Mitarbeiter ständig weiterzuentwickeln und zu stärken, um ihn zu befähigen, alles, was für seine Tätigkeit relevant ist, so weit zu durchdringen, dass er jederzeit Abweichungen, die zu Fehlern und Gefahren führen können, bemerkt. Auf diese Weise wird er zunehmend in der Lage sein, schon bevor ein Ereignis auftritt, gegenzusteuern und es so zu verhindern oder sich entsprechende Unterstützung zu holen.

Als ich vor einigen Jahren das erste Mal das Buch von Mike Rother und John Shook „Sehen Lernen" (2011) in den Händen hielt, rätselte ich, warum sie diesen Titel auswählten. Nachdem ich mich einige Jahre mit dem Thema Lean Management auseinandergesetzt hatte, wurde mir klar, welche Tragweite dieser Titel eigentlich hat. Was würde es bedeuten, wenn jeder Mitarbeiter im Unternehmen „sehen lernen" würde und nicht nur die, die dafür speziell ausgebildet wurden?

Wenn Sie sich damit näher beschäftigen oder es bereits getan haben, werden Sie bemerken, dass die Fertigung „spricht" und man sie auch „hören" kann, wie ich immer sage. Natürlich gilt das nicht nur für die Fertigung, sondern für alle Bereiche eines Unternehmens.

Wer also die Sprache der Fertigung versteht, wird oft schon weit vor einem Ereignis, wie beispielsweise einer Störung, dies bemerken und Gegenmaßnahmen ergreifen können. Übertragen auf den Mitarbeiter folgt daraus, dass dezentral jederzeit ohne Verzögerung dieses Potenzial genutzt werden sollte und kann. Selbst wenn es wie bei der beschriebenen Null-Fehler-Strategie wahrscheinlich niemals vollständig umsetzbar ist, ergibt sich hieraus eine Herangehensweise, die mit vielen kleinen Schritten einen erheblichen Unterschied macht und die Produktivität signifikant erhöht.

Eines von vielen Beispielen aus der Praxis verdeutlichte mir dies auf eindrucksvolle Weise. Bei einem Automobilzulieferbetrieb befanden wir uns in einer angespannten Hochlaufphase eines neuen Produkts. Die neue Produktionsanlage war sehr komplex und das Produkt anspruchsvoll. Somit kam es noch zu vergleichsweise hohem Ausschuss und es musste eine gesonderte Qualitätsprüfung stattfinden. Bei einem Produktionsrundgang fiel mir eine Pumpe auf, die für mein Verständnis auffällige Geräusche machte. Bislang war das noch niemandem aufgefallen. Also rief ich unseren Instandhaltungsleiter an und bat ihn, sich das anzusehen. Er bestellte noch am gleichen Tag eine Ersatzpumpe. Da das Ersatzteilpaket noch nicht am Lager vorrätig war, konnten wir den Austausch nicht unmittelbar vornehmen.

Am Folgetag befand ich mich auf einer Dienstreise. Unterwegs bekam ich einen Anruf des Instandhaltungsleiters, der mir mitteilte, dass die Pumpe ausgefallen sei. Die Folge waren 1,5 Tage Produktionsausfall in einer ohnehin kritischen Liefersituation. Hätten wir es zuvor geschafft, die Mitarbeiter, die zu diesem Zeitpunkt an dieser Anlage gearbeitet haben, in die Lage zu versetzen, dies zu erkennen, wäre dieser kritische Produktionsausfall zu vermeiden gewesen.

Wer sich intensiv mit TPM (Total Productive Maintenance) auseinandersetzt, kennt dieses Phänomen. TPM stellt aus meiner Sicht eine hervorragende Möglichkeit dar, hier eine entsprechende Sensibilität der Mitarbeiter herbeizuführen.

Übertragbar ist dieses Beispiel auf jedwede Art von Produktion oder auch Prozesse. Allerdings ist für diesen Weg ein Umgang mit den Mitarbeitern erforderlich, der sie stärkt und der ihnen ermöglicht, ihr

Potenzial voll auszuschöpfen. Auch hier ist der positive Nebeneffekt dieses Vorgehens die deutlich motivationssteigernde Wirkung.

Die unzähligen kleinen und großen Verbesserungen, also Störungen und Ausfälle, die erst gar nicht auftreten, tragen somit ähnlich wie beim KVP (Kontinuierlicher Verbesserungsprozess) zu einer erheblichen Verbesserung des Gesamtergebnisses bei. Alleine das sollte Grund genug sein, diesen Sachverhalt entsprechend zu berücksichtigen.

Hinsichtlich der Belange der Aufgabenerfüllung spielt eine wichtige Rolle, welchen Einfluss die Führungskräfte auf die Wahrnehmung ihrer Mitarbeiter nehmen.

Das wahrgenommene Bild ist im Gegensatz dazu, was der Realität wirklich entspricht, das Ergebnis eines aktiven Verarbeitungsprozesses, bei dem auf der einen Seite das Filtern und die Bewertung einer Information sowie das Verknüpfen mit bereits vorhandenem Wissen und Erfahrungen stattgefunden hat. Die Repräsentation, also das subjektive Abbild der Realität, ist somit sehr individuell und entspricht ihr keineswegs *(David G. Myers, 2004, 2008)*.

Neben der Qualifikation hat besonders auch die jeweilige Persönlichkeit Einfluss darauf, wie von jemandem etwas wahrgenommen wird *(Richard J. Gering, Philip G. Zimbardo, 2008)*. Da sich diese Einflussfaktoren von einer Führungskraft nicht durch Beobachtung erschließen lassen, ist auch hier das Gespräch mit dem Mitarbeiter unerlässlich. Sicherlich ist es je nach Größe des Unternehmens nicht möglich, mit jedem Mitarbeiter ein Gespräch zu führen, aber es bieten sich zahlreiche Möglichkeiten, mit Mitarbeitern informell ins Gespräch

erhalten.

Aus diesem Sachverhalt heraus ergibt sich die Notwendigkeit, die Führungskräfte zu sensibilisieren und dahingehend zu entwickeln.

Immer wieder habe ich erlebt, wie vorwiegend Leiharbeitern Aufgaben zugeteilt wurden, die nicht ihren Qualifikationen und Fähigkeiten entsprachen. Geringe Einarbeitung und wenig Betreuung führten dann meist zu einem unbefriedigenden Ergebnis. Schnell hieß es dann: „Der Mitarbeiter ist nicht geeignet und muss ausgetauscht werden", und das, obwohl es schwierig war, passende Leiharbeiter zu bekommen. Zuvor hatte niemand mit dem Mitarbeiter gesprochen und gefragt, was er eigentlich für Erfahrungen mitbringt und welche Tätigkeiten er bis dahin durchgeführt hat. Zwar gab es ein Profil des Entleihers und vielleicht auch noch zu Beginn ein kurzes Gespräch, aber das war offensichtlich längst vergessen.

Bevor also diese Mitarbeiter ersetzt wurden, ging ich auf sie zu und befragte sie nach ihrem beruflichen Werdegang. In sehr vielen Fällen kam dabei heraus, dass wir genau diese Qualifikation an einer anderen Stelle schon länger suchten und der Mitarbeiter vollkommen falsch eingesetzt wurde. An anderer Stelle machte dieser Leiharbeiter nun über lange Zeit einen überaus guten Job und fühlte sich ganz nebenbei sehr wohl damit.

Zu erwähnen sei noch, dass jeder Mitarbeiter in den ersten Tagen im Unternehmen durch die Vielzahl der Eindrücke schnell reizüberflutet wird und zudem durch den Stress des „Jobwechsels" nur begrenzt aufnahmefähig ist. Bei der Einweisung kann er daher vieles von dem, was ihm vermittelt wird, nicht aufnehmen. Es ist also behutsam vorzugehen und immer wieder zu überprüfen, was und wie viel beim Mitarbeiter wirklich angekommen ist. Wird dies nicht beachtet, kann schnell der Eindruck entstehen, der neue Mitarbeiter sei nicht besonders aufnahmefähig.

An dieser Stelle möchte ich noch einmal den Hinweis auf das Rollenverständnis machen. Nicht nur die Führungskraft wird bei fehlender Berücksichtigung des geschilderten Sachverhaltes einen negativen Eindruck vom Mitarbeiter bekommen, sondern auch der Mitarbeiter von sich selbst. Er wird dadurch an Selbstvertrauen verlieren und die Rolle des „nicht geeigneten Mitarbeiters" einnehmen, was unbedingt zu vermeiden ist.

An diesen Ausführungen sollte zu erkennen sein, nicht alles ist so, wie es auf den ersten Blick erscheint, und ein vordergründig technischer Aspekt ist eng mit den Mitarbeitern im Unternehmen verbunden.

So können beispielsweise schon kleinste unscheinbare Fehler von großer Bedeutung sein. In der Praxis werden diese scheinbar harmlosen Fehler oft übersehen oder nicht ausreichend gewürdigt, da ihnen wenig Bedeutung beigemessen wird. Automatisch wird meist nur auf die großen „Eye Catcher" geschaut, also die offensichtlichen Themen. Genauso gut kann es allerdings vorkommen, dass kleine Fehler Hinweise und Vorboten eines großen „Sturms" sind. Sie kündigen in dem Fall ein potenzielles Problem mit wesentlich größerer Tragweite an. Wird dieser Hinweis missachtet bzw. unterschätzt, kann das zu hohen Kosten und erheblichem Schaden führen.

Bei einem Automobilzulieferbetrieb trat ein Fehler in der Häufigkeit von kleiner 1 ppm auf, also weniger als ein Teil von einer Million. Da es sich um keinen relevanten Fehler zu handeln schien, fand er kaum Beachtung. Später stellte sich diese Einschätzung als fatal heraus, da diese unscheinbare Beschädigung an einem Bauteil ein Hinweis auf einen systematischen Prozessfehler darstellte. Nicht die Anzahl der fehlerhaften Teile war nun das Problem, sondern die fehlende Eingrenzungsmöglichkeit der schadhaften Teile. Es konnte also niemand mit Sicherheit sagen, wie viele Teile diesen Fehler aufwiesen und somit ein potenzielles Ausfallrisiko darstellten. Der Aufwand und die Kosten waren enorm und standen in keinem Verhältnis zu dem, wie der Fehler zu Beginn eingeschätzt wurde.

Weitere Beispiele von kleinen Hinweisen an den Produkten und Anlagen, die zur Vermeidung von Kosten und Ausschuss in den Prozessen genutzt werden können, sind Späne an Führungen und Lagern, beschädigte Teile, die in Anlagen liegen, und auffällige Geräusche oder Vibrationen, um nur einige zu nennen.

So zeigt sich die Sinnhaftigkeit im Umgang mit der „sprechenden Produktion" und welches Potenzial daraus abgeleitet werden kann.

5 Bevor es losgeht

5.1 Die Anforderungen an den Interim Manager!

Vielleicht hat sich der ein oder andere Leser bereits gefragt, was die bisherigen Ausführungen mit Interim Management zu tun haben.

Es gab aus meiner Sicht zwei Möglichkeiten, das Thema Interim Management aufzubereiten.

Auf der einen Seite bestand die Option, alle Fakten und Daten zum Thema zusammenzutragen und diese in irgendeiner Form darzubieten. Da diese Daten und Fakten aber schnellen Änderungen unterworfen sind und damit sehr bald überholt sein würden, bin ich zu der Überzeugung gekommen, mich allgemeingültigeren Themen zu widmen, womit ich versucht habe, den vergleichsweise „trockenen" Stoff für den Leser interessanter zu gestalten. Diese Vorgehensweise bietet ebenfalls viel Wissenswertes und anderseits war es aus dem genannten Grund nicht mein Ziel, ein Nachschlagewerk für die Praxis zu erschaffen. So habe ich mich für den zweiten Weg entschieden, der auf die Hintergründe, die bei der Arbeit als Interim Manager Anwendung finden, fokussiert ist. Dinge, die oft automatisch bei meiner Tätigkeit als Interim Manger berücksichtigt werden und die weniger augenscheinlich erkennbar sind, aber dennoch ihre Wirkung entfalten und gerade deshalb zu den gewünschten Ergebnissen führen. Aus diesem Grund möchte ich das an dieser Stelle noch einmal erwähnen.

Was bedeutet das nun für die Anforderungen an einen Interim Manager?

Zunächst muss ein Interim Manager den Herausforderungen gerecht werden, die der Auftraggeber an ihn stellt. Die Wünsche des Kunden stehen dabei stets im Vordergrund.

Um das sicherstellen zu können, muss nicht nur die Qualifikation zur Aufgabe passen, sondern es muss ein Konsens zwischen Auftraggeber und Interim Manager bestehen, in welcher Form die

Aufgabenerfüllung geschehen soll. Es sollte eine zumindest ähnliche Unternehmensphilosophie vorhanden sein. Es existieren viele Wege und Herangehensweisen, die ihre Daseinsberechtigung haben, die aber nicht immer miteinander vereinbar sind. Jeder Interim Manager, was für jedes Unternehmen ebenso gilt, benötigt die zu ihm passenden Geschäftspartner und umgekehrt. Dieser Sachverhalt lässt sich auch in dieser Form auf die Arbeitnehmer übertragen.

Eine hohe Flexibilität in Kombination mit einer guten Auffassungsgabe sind wichtige Voraussetzungen, sich immer wieder aufs Neue auf die verschiedenen Herausforderungen einzustellen. Das Interesse am Menschen und der Wunsch nach Veränderung und neuen Erfahrungen gehören ebenso zu den Anforderungen. Neben der eigentlichen Tätigkeit beim Kunden muss ein Interim Manager Unternehmer sein und sich ständig über die Veränderungen am Markt informieren und einstellen. Die Fähigkeit, sich körperlich und geistig fit zu halten und ständig weiterzubilden, ist unerlässlich. Im Gegensatz zum Arbeitnehmer ist er stets im Dienst und muss sein Wissen bzw. seine Kompetenzen wesentlich breiter aufstellen sowie ständig erweitern.

5.2 Vereinbarung und Auftragsklärung

Wenn sich ein Unternehmen und ein Interim Manager für eine Zusammenarbeit entschieden haben, müssen die Rahmenbedingungen geklärt werden. Neben der Auftragsklärung und den üblichen vertraglichen Vereinbarungen sollte auch die Haftung

Mitarbeiter auftritt, trägt er auch das damit verbundene unternehmerische Risiko, das sich allerdings in beiderseitigem Interesse vertraglich regeln lässt. Hier ist eine entsprechende Versicherung durch den Interim Manager empfehlenswert. Nicht viele Versicherungsunternehmen versichern überhaupt dieses Risiko oder haben sehr hohe Selbstbeteiligungen mit bis zu 50.000 € pro Versicherungsfall. Das ergibt natürlich wenig Sinn und verursacht lediglich hohe Kosten. Mit etwas Geduld ist es aber durchaus möglich, einen geeigneten Versicherungspartner zu finden. Wichtig ist aus meiner Sicht dabei, dass sowohl der Kunde wie auch der Interim Manager einen Nutzen davon haben. Der Interim Manager kann seinen potenziellen Vermögensschaden auf die Versicherungssumme vertraglich begrenzen, die dennoch deutlich höher wäre als das, was der Interim Manager in den meisten Fällen selbst abbilden könnte. Der Kunde ist auf diese Weise ebenfalls in einem deutlich höheren Maß abgesichert, als es der Fall wäre, wenn er sich im Schadensfall an den Interim Manager halten müsste. Unabhängig davon, ob der Auftrag durch einen Vermittler oder direkt zustande gekommen ist, ist diese Vorgehensweise empfehlenswert. Ob es gilt, weitere Risiken abzusichern, sollte jeder individuell prüfen und idealerweise hierfür einen Fachmann zu Rate ziehen

Auch wenn ein Schadensfall glücklicherweise in der überwiegenden Mehrheit der Fälle nicht zum Tragen kommen dürfte, ist eine Absicherung dennoch immer sinnvoll.

Genauso wie für das folgende Kapitel möchte ich darauf hinweisen, dass es bei diesen Ausführungen lediglich um praktische Hilfestellungen und Hinweise geht, für die keinerlei Gewähr auf Inhalt und Vollständigkeit gegeben werden kann und die schon gar keine rechtliche Beratung darstellen. Hierzu muss sich jeder Interim Manager entsprechende fachliche Unterstützung bei einem Fachanwalt einholen.

5.3 Vor Scheinselbstständigkeit schützen, was beachtet werden sollte!

Zum Organisatorischen möchte ich ein Thema anschneiden, das oft in seinen Auswirkungen und seiner Tragweite noch unterschätzt wird. Es geht hier ausdrücklich nicht um Vollständigkeit und schon gar nicht, wie bereits erwähnt, um eine rechtliche Belehrung oder Beratung. Dies kann weder geleistet werden, noch ersetzt es die Unterstützung durch einen Anwalt. Dennoch möchte ich auf einige

Punkte hinweisen, die bei einer Zusammenarbeit geklärt werden sollten und wo es empfehlenswert ist, eine entsprechende rechtliche Unterstützung hinzuzuziehen. Es geht darum, den Auftraggeber und den Auftragnehmer vor Fehlern in Bezug auf Scheinselbstständigkeit zu bewahren bzw. sie zumindest für Fehler zu sensibilisieren. Es muss zunächst klargestellt werden, dass es sich bei Scheinselbstständigkeit nicht um eine Bagatelle handelt, sondern es kann für beide Seiten unangenehme Folgen haben. Wo ein sozialversicherungspflichtiges Arbeitsverhältnis durch die Deutsche Rentenversicherung oder gesetzlichen Krankenkasse festgestellt wird, kommt einiges auf die Vertragsparteien zu. Wie bei allen rechtlichen Fragestellungen gibt es auch hier keine absolute Sicherheit, aber durch den richtigen Umgang mit dem Thema lassen sich viel Ärger, Kosten und Aufwand sparen. Dieses Thema zu ignorieren und zu hoffen, dass es nicht zum Tragen kommt, dürfte keine gute Lösung sein, weil das Risiko einer Rückberechnung, die Kosten und den Aufwand deutlich nach oben treiben kann, jederzeit besteht. Hohe Zinssätze, die in diesem Fall zugrunde gelegt und über viele Jahre zurückgerechnet werden, verteuern die dann fälligen Nachforderungen ganz erheblich. Einmal ganz abgesehen davon, dass in dem Fall eine Straftat schnell vorliegen kann.

Ob ein sozialversicherungspflichtiges Arbeitsverhältnis vorliegt oder nicht, entscheidet sich nach Kriterien, die aber nicht immer eindeutig sind. Festgestellt wird dies durch das Statusfeststellungsverfahren von der Clearingstelle der Deutschen Rentenversicherung. Diese Prüfung kann aus unterschiedlichen Gründen angestoßen werden. Seit einigen Jahren ist es nicht mehr so, dass die Person, um die es geht, geprüft wird, sondern es kann jeder Auftrag erneut in eine Prüfung kommen. Das bedeutet also, unabhängig davon, wie viele Aufträge parallel oder auch nacheinander angenommen worden sind, kann es bei jedem Auftrag zu einer Prüfung kommen. Diese Prüfung kann noch mehrere Jahre rückwirkend stattfinden.

Besonders hilfreich ist u. U. eine Pflichtversicherung bei der Deutschen Rentenversicherung, die der Interim Manger für sich beantragen muss. Die Versicherungspflicht ermöglicht gegenüber der freiwilligen Rentenversicherung dem Selbstständigen, den Anspruch auf Erwerbsminderungsrente zu erhalten. Bei einer freiwilligen Rentenversicherung verfällt nach aktuellem Stand dieser Anspruch nach spätestens 3 Jahren ab Beginn der Selbstständigkeit. Gerade für diejenigen, die sich zuvor im Angestelltenverhältnis befanden, kann das eine interessante Option darstellen. Aber Vorsicht! Das alleine schützt noch nicht vor Scheinselbstständigkeit. Besonders wichtig ist, den Auftragnehmer **nicht** in die Organisation des Auftraggebers einzubinden. Was sicher nicht immer ganz einfach ist, aber schon mal damit anfängt, dass der Auftraggeber den Auftragnehmer nicht in seinen Organigrammen aufführt und ihn nicht nach außen für sich das Unternehmen vertreten lässt. Auch Visitenkarten oder soziale Vergünstigungen vom Auftraggeber sind kritisch zu sehen. Es kommt auch immer wieder vor, dass Unternehmen einen Dienstwagen bereitstellen wollen oder Handy und Laptop. Neben Weisungen, Vorgaben zu Ort und Zeit der Leistungserbringung, sind das alles starke Indizien für ein Anstellungsverhältnis und sind damit unbedingt auszuschließen! Die Gewichtung dieser und anderer Kriterien wird immer wieder durch Gerichtsurteile beeinflusst und kann sich damit ändern.

Einige Unternehmen befürchten fehlende Akzeptanz bei ihren Mitarbeitern, wenn sie offen kommunizieren, dass es sich nicht um eine festangestellte Führungskraft handelt, sondern um einen Interim Manager. Sie möchten damit das Risiko vermeiden, ihre Mitarbeiter könnten denken: „An der Stelle muss ich mich nicht einbringen, da der Interim Manager ohnehin bald wieder weg ist." Aus meiner Sicht ist diese Befürchtung weitgehend unbegründet, soweit den Mitarbeitern die Chancen verdeutlicht werden, die sich aus der Entscheidung für einen Interim Manager auch für sie ergeben.

Von meiner Seite mache ich den Mitarbeitern stets die Vorteile deutlich, indem ich ihnen klar mache, wie sie mich als ihren

Unterstützer für die Durch- bzw. Umsetzung von Anliegen, die zuvor schwierig oder nicht möglich erschienen, nutzen können. Als Grundlage dient die Unabhängigkeit des Interim Managers. So muss sich kein Unternehmen durch eine falsche Kommunikation unnötig in Gefahr begeben und vermeidet so den Eindruck der Unglaubwürdigkeit seinen Mitarbeitern gegenüber. Ohnehin sind zu den meisten Interim Managern entsprechende Informationen im Internet verfügbar, sodass eine unaufrichtige Kommunikation eher unseriös wirken würde und zu Vertrauensverlusten führt. Hier zahlt sich also eher der Mut zur offenen und vertrauensvollen Haltung aus.

Hingegen sind wichtige Indizien für eine selbstständige Tätigkeit gegeben, soweit der Tagessatz eine Höhe aufweist, selbst Vorsorge betreiben zu können – er muss deutlich über den Lohn- und Gehaltskosten eines angestellten Mitarbeiters liegen –, eigenes Equipment für die Leistungserbringung vorhanden ist und genutzt wird, ein eigener Dienstwagen zur Verfügung steht und Aufwendungen für Werbung stattfinden. Besonders relevant hierfür ist ebenfalls, wenn das unternehmerische Risiko und damit das Verlustrisiko beim Auftragnehmer vorhanden ist.

Es handelt sich dabei nur um ein paar wesentliche Beispiele, die der Komplexität dieses Sachverhaltes nicht ausreichend gerecht werden, weshalb für diese Ausführungen auch keine Gewähr übernommen werden kann. Sich mit den rechtlichen Rahmenbedingungen ausreichend auseinanderzusetzten, ist in jedem Fall empfehlenswert. Mit diesem Abschnitt soll, wie bereits erwähnt, etwas für das Thema „Scheinselbstständigkeit" sensibilisiert werden, und deshalb muss hier immer der aktuellste Stand abgefragt werden.

Zu guter Letzt möchte ich gerade für Interim Manager, die nicht unter die obligatorische Versicherungspflicht fallen und noch am Beginn ihrer Selbstständigkeit stehen, oder Personen, die vorhaben, diesen Weg einzuschlagen, meine Erfahrungen mit der Deutschen Rentenversicherung in diesem Zusammenhang teilen.

Bei dem Versuch, die Versicherungspflicht für mich zu beantragen, erlebte ich einige Überraschungen. Zuvor hatte ich sorgfältig die Broschüre der Deutschen Rentenversicherung durchgelesen und mich akribisch vorbereitet. Die Ausführungen vermitteln Vertrauen und fürsorgliches Handeln der Rentenversicherung. Davon sollte sich aber niemand täuschen lassen. So einfach und problemlos, wie es dort dargestellt wird, ist es durchaus nicht, ganz im Gegenteil!

Ohne meine Unterlagen überhaupt zu prüfen und zu sichten, wurde von mir unsinnigerweise ein Statusfeststellungsverfahren eingefordert. Aber gerade durch eine Pflichtversicherung sollte ja eine potenzielle Scheinselbstständigkeit vermieden werden, und so „biss die Katze sich in den Schwanz"! Keine Pflichtversicherung ohne Statusfeststellungsverfahren. Also blieb mir keine andere Wahl, als die Prüfung anzustoßen. Meine Krankenkasse, die sich deutlich umgänglicher zeigte und eigentlich ebenfalls ein Statusfeststellungsverfahren hätte durchführen können, wiegelte ab. So musste ich es bei der Clearingstelle der Deutschen Rentenversicherung versuchen. Hier wieder das gleiche Bild, keine Prüfung der zuvor umfangreich zusammengestellten Unterlagen, sondern stattdessen eine willkürliche Entscheidung. Die Entscheidung hieß: sozialversicherungspflichtiges Arbeitsverhältnis, obwohl hierfür jedwede Grundlage fehlte. Mein frühzeitig eingeschalteter Anwalt legte mit den gleichen abermals kopierten Unterlagen und den Hinweisen zur Eindeutigkeit Widerspruch ein. Selbst ein Telefonat zwischen der Abteilungsleiterin, die für meinen Fall zuständig war, und mir erzeugte keine Einsicht. Die eindeutigen Argumente fanden weder Gehör noch Beachtung. Dies legte den Schluss nahe, dass nach Anweisung und nicht nach Rechtslage entschieden wurde. Es ging also nicht um die Sache, sondern um Politik, und das unabhängig davon, welche Auswirkungen dies für die Betroffenen hat.

Auch wenn diese Vorgehensweise angesichts zunehmend wegfallender Beitragszahler nachvollziehbar ist, bleibt zu hoffen, dass hier in Zukunft eine Kehrtwende vollzogen wird, die das vielfach verlorengegangene Vertrauen in das System wiederherstellt.

Einige Wochen und Monate vergingen und es passierte nichts, bis zu dem Zeitpunkt, als mein Rechtsanwalt ein freundliches Erinnerungsschreiben an die Deutsche Rentenversicherung sendete. Bald darauf wurde uns ein geänderter Bescheid der Widerspruchsabteilung übermittelt, in dem nun die Informationen aus meinen aussagekräftigen Unterlagen berücksichtigt wurden. Nun lautete die folgerichtige Entscheidung: kein versicherungspflichtiges Arbeitsverhältnis.

Mein Antrag auf Pflichtversicherung wurde nun innerhalb einer Woche positiv entschieden.

Diese Pflichtversicherung gibt meinen potenziellen Kunden und mir nun deutlich mehr Klarheit und Sicherheit, und das mit Verträgen, die einer Prüfung durch die Deutsche Rentenversicherung standgehalten haben.

Dieses Beispiel zeigt recht deutlich, dass es sich lohnt, hartnäckig und wachsam zu bleiben, und man sich nachhaltig mit diesem Thema auseinandersetzen sollte.

Bei einer ausreichenden Sensibilität und unter Berücksichtigung der maßgeblichen Kriterien sowie der rechtlichen Rahmenbedingungen sollte es im Normalfall nicht zu Problemen bei dem Thema Scheinselbstständigkeit kommen.

6 Der ganzheitliche Ansatz, das Offensichtliche hinterfragen

Dinge, die zusammengehören, ganzheitlich zu betrachten, ist für jeden selbstverständlich. In der Praxis sieht das allerdings häufig anders aus. Gründe dafür gibt es viele. Einer davon ist die Arbeitsteilung bei komplexen Anforderungen, wie sie bei einem Unternehmen üblich ist. Schnittstellen zwischen den Verantwortlichkeiten und den Abteilungen wirken wie Barrieren für Prozesse und den Informationsfluss. Sich diesen Sachverhalt immer wieder bewusst zu machen, sollte stets der Anspruch sein.

Den menschlichen Organismus zum Vergleich für die Veranschaulichung der Zusammenhänge heranzuziehen, empfinde ich oft als hilfreich. Daher möchte ich das an dieser Stelle auch so halten.

Sollten Sie in der Vergangenheit einmal unter Rückenproblemen, die durch eine Blockierung von Muskelpartien verursacht wurden, gelitten haben und damit zum Hausarzt gegangen sein, ist es sehr wahrscheinlich, dass Sie in die entsprechenden Bereiche vom Arzt eine oder mehrere Spritzen verabreicht bekommen haben. Meist tritt dann eine kurzfristige Linderung ein. Schon bald kann das Problem aber erneut auftreten, da solche Blockierungen häufig nicht dort entstehen, wo sie verursacht wurden. Es wird tendenziell auf die Symptome reagiert, ohne die Herkunft zu berücksichtigen.

Soweit Sie aber zu einem Chiropraktor in die Behandlung gehen, wird die Vorgehensweise eine ganz andere sein. Voraussetzung ist stets, es handelt sich nicht um eine ernsthafte Erkrankung.

Der Chiropraktor wird Sie zunächst vor ein Band, das von der Decke bis zum Fußboden reicht, stellen und versuchen, herauszufinden, ob Ihr Körper im Lot ist oder ob bereits Schonhaltungen bzw. Schiefstellungen aufgetreten sind. Anschließend wird er Sie aufgrund dieser Information an der Ursache behandeln, die weit von der Problemstelle entfernt sein kann. Beispielsweise beeinflussen die oberen und unteren Wirbel sich jeweils paarweise, bis sie sich in der Mitte zulaufend treffen. So kann eine Blockierung eines Brustwirbels Schwierigkeiten bei dem dazugehörigen Lendenwirbel auslösen. Aber auch eine nicht selten auftretende Schiefstellung der Hüfte kann für Schwierigkeiten im oberen Rücken bzw. Schulterbereich verantwortlich sein. Mit diesem Hintergrund reichen dem Chiropraktor oft schon ein paar scheinbar mühelose Handgriffe, um Probleme dieser Art nachhaltig zu beheben.

Dieses zur Veranschaulichung herangezogene Beispiel zeigt, wie wichtig es ist, gesamtheitlich vorzugehen. Oft ist der Sichtbare nicht die Ursache, sondern stellt lediglich das Symptom dar. Symptome, die schnell wieder auftreten, wenn die Ursache nicht erkannt wird. Diese Erkenntnis lässt sich auf das betriebliche Geschehen ohne weiteres übertragen. Ein Beispiel dazu wurde bereits im Kapitel „Die Produktion, der Spiegel des Unternehmens" dargestellt.

Um den passenden Weg für die Zielerreichung einzuschlagen, müssen also zuerst die Zusammenhänge der einzelnen Prozesse im

Unternehmen klar sein. Was für die eine Abteilung gute Ergebnisse bringt, kann bei den nachfolgenden Prozessen zu Mehrkosten führen. Deshalb muss zunächst die Frage gestellt werden, ob es der richtige Weg ist, der zurzeit verfolgt wird. Denn: Wer die falschen Prozesse bzw. Systeme optimiert, ist schneller am falschen Ort, der hier für das Ziel steht. Im Klartext bedeutet das auch, Fehler im System, die offen oder verdeckt sein können, werden verstärkt und somit auch die Konsequenzen daraus. An dieser Stelle weitere Kapazitäten aufzubringen, wäre sehr kontraproduktiv!

Häufig leiden Unternehmen an unzureichender Lieferperformance wie Lieferrückständen oder Lieferungen zum falschen Zeitpunkt. Zusätzliche Mitarbeiter und Schichten, die mit Überstunden verbunden sind, sind die kurzfristigen Maßnahmen, die oft ergriffen werden, um Abhilfe zu schaffen. Rückstände bedeuten gerade in der Automobilindustrie Kosten für Sonderfahrten und Konventionalstrafen, die sich negativ auf das Betriebsergebnis und die Reputation auswirken.

Der Druck, diesen Zustand zu beheben, ist daher meist groß. Die aufgezeigten und weit verbreiteten Maßnahmen verschärfen diese Situation allerdings in den meisten Fällen noch zusätzlich. Zwar lässt sich u. U. die Liefersituation entschärfen, aber die Marge verringert sich, wenn sie nicht sogar in einen Verlust umschlägt.

Oft reduziert sich sogar die Ausbringung, anstatt sie steigern zu können, da die Leistung in Sonderschichten meist geringer ausfällt. Die Belastung der Mitarbeiter steigt unweigerlich, worin eine der Ursachen zu suchen ist. Ein weiterer Punkt für eine verschlechterte Ausbringung sind die zwangsläufig neu aufzustellenden Arbeitsgruppen bzw. Teams. Funktionierende Einheiten werden auseinandergerissen und mit neuen Mitarbeitern ergänzt. Die Einarbeitung dieser neuen Kollegen muss von der Stammbelegschaft durchgeführt werden. In dieser Zeit sind nicht nur die anzulernenden Mitarbeiter noch nicht auf voller Leistung, sondern auch Mitarbeiter, die durch das Anlernen und Einweisen gebunden sind, können ihre volle Leistung nicht erbringen. Durch die Störungen beim Anlernen kommt die Stammbelegschaft nicht in ihren Arbeitsrhythmus, was das Ergebnis alleine schon dadurch schmälert. Überlastung und zusätzlicher Stress können die Folge sein oder sind unausweichlich.

Ein weiterer wichtiger Aspekt ist das steigende Fehlerrisiko, das damit einhergeht. Qualitätsmängel und Reklamationen schmälern weiter das Ergebnis.

Was kann also getan werden? Für langwierige Analysen bleibt dem Interim Manager oft keine Zeit. Meist ist die Situation schon so weit fortgeschritten, dass schnelle Lösungen erforderlich sind.

Neben einem guten fachlichen und unternehmerischen Verständnis ist der Interim Manager auf den schnellen Erhalt von Informationen und dem daraus resultierenden Verständnis für die Gesamtzusammenhänge angewiesen. Sicherlich gibt es in jedem Unternehmen eine Vielzahl von möglichen Informationsquellen. Diese ausfindig zu machen und auf relevante Themen zu durchforsten, würde ebenfalls zu viel Zeit in Anspruch nehmen. Dennoch sind diese Informationsquellen parallel zu nutzen.

Drei Vorgehensweisen sind nun wichtig: 1. Beobachten und 2. gezielte Mitarbeitergespräche, 3. Berücksichtigung aller Ebenen und Bereiche.

Dabei ist es nicht nur entscheidend, was gesehen oder gehört werden kann, sondern was nicht gleich offensichtlich ist und was noch wichtiger ist; nicht das, was gesagt wird, sondern das, was nicht gesagt wird bzw. was glauben gemacht werden soll.

Als ein Beispiel hierzu möchte ich eine Situation eines Unternehmens anführen, das aufgrund von hohen Produktionsrückständen erheblich unter Druck stand. Die Situation wurde täglich dramatischer und echte Lösungsansätze schienen nicht in Sicht zu sein. Nachdem erste Informationen vorlagen und etwas Transparenz geschaffen war, stellte sich heraus, dass die Materialversorgung durch das Zentrallager die Produktion nicht ausreichend versorgen konnte. Die Kapazitäten reichten nicht aus und der Ruf nach 21 Schichten wurde immer lauter. Aktuell wurden 15 Schichten pro Woche bei 5 Arbeitstagen genutzt.

Also ging ich zu unterschiedlichen Zeiten über einen gewissen Zeitraum in unregelmäßigen Abständen für ein bis zwei Stunden in dieses Lager und beobachtete die Abläufe und sprach mit verschiedenen Mitarbeitern. Auch sie bestätigten mir durchweg, dass die Kapazitäten nicht ausreichen würden und zusätzlich die Hochregalstapler häufig ausfallen. Diese spezialisierten Stapler waren in die Jahre gekommen und sorgten aufgrund der erhöhten Belastung zunehmend für Ausfälle und damit zu schmerzhaften Kapazitätsverlusten.

Es war offensichtlich und nicht zu übersehen, dass extrem viel Bewegung im Lager stattfand. Es glich einer Rennstrecke, auf der die Flurförderzeuge in einem beängstigenden Tempo hin- und herfuhren, um die Versorgung sicherzustellen. Die Mitarbeiter waren sehr engagiert, aber auch oft gestresst. Es musste eine hohe Komplexität manuell bewältigt werden, was das Fehlerrisiko erhöhte und sich in immer wieder auftretenden falschen Versorgungen der Produktion oder falsch eingelagerten Teilen äußerte.

Nach einigen Beobachtungen und Gesprächen zeigte sich aber sehr schnell, wo die verschiedensten Optimierungspotenziale lagen.

Beispielsweise stand inzwischen kaum noch Platz in dem Bereich vor den Regalen zur Verfügung, sodass die Flurförderzeuge nur schwer aneinander vorbeikamen. Der Schreibtisch, auf dem der Terminal stand, um die Buchungen durchzuführen, befand sich in mitten von Kisten und Kartons von Material, welches offensichtlich schon eine ganze Weile nicht mehr bewegt wurde. Es handelte sich um einen PC, der nur wenig Beachtung und Pflege erhielt. Das Drucken der Arbeitspapiere funktionierte oft nicht mehr und so konnte die Ware jedes Mal nicht bereitgestellt werden. Später stellte sich heraus, dass der Rechner die erforderlichen Updates nicht verarbeiten konnte, da er mehrere Wochen durchlief und in der Zeit nie neu gestartet wurde. Den Mitarbeitern war dieser Zusammenhang nicht bewusst und so kam es über lange Zeit auch hierdurch zu erheblichen Störungen im Ablauf.

Die großen schweren Hochregalstapler fuhren leer in die langen und hohen Regalreihen und kamen mit einzelnen, oft kleinen Boxen wieder zurück, aus denen dann einige Teile vom Fahrer entnommen und auf eine Palette für die Produktion gelegt wurden. Von den Paletten wurde das Material dann wieder auf gesonderte Wagen umgepackt und zu dem Bestimmungsort in der Produktion gebracht.

Dies geschah über zwei Schichten. Eingelagert wurde stets nach der Anlieferung in der verbleibenden Schicht, in der nicht ausgelagert wurde. Beim Einlagern fuhr das Flurförderzeug beladen in die Regalreihen und leer wieder heraus.

Wichtige Ersatzteile für die anfälligen Hochregalstapler wurden erst beschafft, wenn es bereits zu einem Defekt und damit zum Stillstand kam, was wiederum zu weiteren Verzögerungen bei der Belieferung von den Produktionsbereichen und Verlusten von wichtigen Kapazitäten führte.

Hier sind zur Veranschaulichung nur die wesentlichen Punkte aufgeführt. Das vermeintlich Offensichtliche, also mehr Kapazitäten durch Sonderschichten zu schaffen, wäre der falsche Weg gewesen und hätte neben zusätzlichen Kosten eher eine Verschlechterung der Situation sowie eine Verschärfung der Probleme bewirkt. Noch höhere Ausfälle der Hochregalstapler hätten die gewonnenen Kapazitäten wieder eliminiert.

Aus den Schilderungen geht hervor, dass das ganze System und die Prozesse nicht optimal ausgelegt waren. Oft haben solche Prozesse sich durch Selbstorganisation alleingelassener Mitarbeiter entwickelt. In vielen Fällen dann aus der Not heraus, weil es an Unterstützung fehlte. Im Laufe der Zeit entstand eine allgemeine Akzeptanz für den Zustand, der nicht mehr hinterfragt wurde. Solange solche Systeme im mittleren Bereich belastet werden, funktionieren sie und welche Kosten dadurch verursacht werden, bleibt meist im Verborgenen und damit unentdeckt.

Gerade diese Akzeptanz, die sich evtl. sogar wie ein roter Faden durch das ganze Unternehmen zieht, verschlechtert schleichend die Ergebnisse, bis es zu einem Problem wird.

Lücken der Wertschöpfung, die aufgrund von fehlender Austaktung im Arbeitsablauf entstehen, werden von den Mitarbeitern automatisch mit anderen Tätigkeiten aufgefüllt oder das Tempo dem eigenen Arbeitstakt angepasst. Arbeit ist somit „dehnbar". Dem Mitarbeiter kann hier kein Vorwurf gemacht werden, schließlich muss er mit dem System arbeiten, was ihm zur Verfügung gestellt wird. Von mir werden diese Zeiten als „versteckte Wartezeiten" bezeichnet. Sie sind aus zweierlei Aspekten kritisch zu sehen. Auf der einen Seite sind sie nicht sofort erkennbar, da alle beschäftigt wirken und somit vordergründig keine Arbeitslücken vorhanden sind, und auf der anderen Seite geht der Takt bei den Mitarbeitern in „Fleisch und Blut" über. D. h., der Arbeitstakt ist in der Gewohnheit verankert in Form einer inneren Uhr. Diesen Zusammenhang kommentiere ich stets mit: „Die Macht der Gewohnheit ist nicht zu unterschätzen", und das gilt im positiven Sinn als auch im negativen. Im Lean Management wird sich das beim Kata-Verfahren zunutze gemacht, bei dem, wie auch beim Kampfsport Karate, immer wieder die gleichen Abläufe wiederholt werden, damit die Abläufe automatisch und ohne weiter darüber nachdenken zu müssen ausgeführt werden können.

Da sich versteckte Wartezeiten und die daraus folgenden Konsequenzen nicht vollständig bei bestehenden Fertigungslinien vermeiden lassen, ist eine gute Mitarbeiterkommunikation erforderlich. Die in der Vergangenheit erbrachte Stückleistung ist den betroffenen Mitarbeitern nicht nur bekannt, sondern, wie oben beschrieben, sie haben diese in ihrem Arbeitsablauf vollständig verinnerlicht. Wenn die unproduktiven Zeiten nun entfallen bzw. eliminiert werden, wird der Mitarbeiter dies als Mehrleistung für die gleiche Entlohnung empfinden. Aus seiner Sicht ist das zunächst durchaus nachvollziehbar, umgekehrt wurde er bislang für diese Zeiten entlohnt, ohne die Wertschöpfung dafür zu erbringen. Hier besteht ein hohes Potenzial für Unzufriedenheit, dem entgegengewirkt werden muss. Im besten Fall entsteht diese Situation erst gar nicht, indem versteckte Wartezeiten von vornherein vermieden werden.

Wenn nun die Anforderungen beispielsweise durch stark steigende Kundenbestellungen steigen, bricht das fehlerhafte und damit labile System der Unternehmensprozesse schnell zusammen. Es wird aus dieser Not heraus nach zusätzlichen Kapazitäten wie Mitarbeitern und Sonderschichten gerufen, anstatt die verschleierten Ursachen zu beheben.

Wie eingangs beschrieben, wird deutlich, dass zusätzliche Kapazitäten keine echte Lösung darstellen. Besser ist es also, dieses Arbeitssystem zunächst so zu optimieren, dass alle Möglichkeiten ausgereizt sind und es auf einem „gesunden" Fundament steht. Dabei spielt nicht nur die Taktzeit eine wichtige Rolle, sondern auch die Streuung, die Auskunft darüber gibt, wie stabil die Anlagen und Prozesse laufen und damit die Ausbringung ist.

In dem genannten Beispiel des Zentrallagers wurde deshalb als erstes 5S eingeführt. D. h., wir haben alle Materialien zunächst sortiert und, wenn sie nicht mehr benötigt wurden, verschrottet. Alle anderen wurden eingelagert. Nur noch die tatsächlich benötigten Dinge blieben am Arbeitsplatz. Jeder Bereich erhielt entsprechende Kennzeichnungen. Schon alleine dadurch mussten die Stapler nicht mehr gegenseitig aufeinander warten, da sie nun ausreichend Platz zur Verfügung hatten, um aneinander vorbeizufahren. Die Regale wurden so sortiert und eingeräumt, dass jeweils ein Stapler eine oder zwei Reihen bediente, wodurch die Wege deutlich verkürzt werden konnten. Das Material wurde nun direkt auf die Bereitstellungswagen abgelegt, die anschließend in die Produktionsbereiche gebracht wurden, wo sie dann für die Montage bereitstanden. Auf diese Weise war nun lediglich noch eine geringe Anzahl von Fahrten in die Lagerreihen für einen Auftrag erforderlich und die Häufigkeit der Gesamtbewegungen wurde folglich deutlich verringert. Im gleichen Zeitraum ging die Belastung für die Flurförderzeuge ebenfalls erheblich zurück, sodass es zu deutlich weniger Ausfällen durch

Störungen und Wartungsarbeiten kam. Um dies zu ermöglichen, wurde die Steuerung der Arbeitsaufträge angepasst und im Vorfeld festgelegt. Zuvor ist dies willkürlich ausgewählt und vom Staplerfahrer mit übernommen worden.

Nachdem alle Maßnahmen umgesetzt waren, erhöhte sich die Ausbringung des Zentrallagers um rund 50 % bei gleicher Mitarbeiterzahl. Im Gegenzug konnte eine deutliche Entlastung der Mitarbeiter erreicht werden. Der Ausfall der Mitarbeiter durch Krankheit ging signifikant zurück. Es war kaum noch Bewegung im Lager auszumachen. Anfangs ging ich immer wieder ins Lager, um nachzusehen, ob aufgrund eines Ausfalls nicht gearbeitet wurde, was aber stets nicht der Fall war.

Die Versorgung der Produktion war nun sichergestellt und die Belastungen für Mitarbeiter und Anlagen sowie die Kosten konnten reduziert werden. Bis auf etwas Material und Arbeitseinsatz mussten keine Investitionen getätigt werden, um diese Lösung zu finden und zu realisieren.

Hätte man nun auf zusätzliche Schichten gesetzt, wie anfangs gefordert, wären die Aufwendungen und Ausfälle stark gestiegen und der erwünschte Effekt ausgeblieben.

Erst nachdem die Ergebnisse vorlagen und die Kennzahlen die positiven Effekte auswiesen, ging auch der starke Widerstand, der zunächst von denen ausging, die die 21 Schichten gefordert hatten, zurück.

Die Umsetzungszeit war zudem wesentlich niedriger als der Zeitaufwand, der für ein 21-Schicht-Model nötig gewesen wäre. Zusätzlich entfielen umständliche und aufwendige Genehmigungsverfahren.

Was hierdurch aber auch ganz deutlich wird, kein Bereich ist losgelöst von dem anderen und er kann immer nur erfolgreich im Zusammenspiel mit den angrenzenden Abteilungen agieren. Das interdisziplinäre Zusammenarbeiten ist stets erforderlich. Nur wenn die beteiligten Abteilungen ein Verständnis dafür entwickeln, welche

Auswirkungen ihre eigene Arbeit auf andere Bereiche und das gesamte Unternehmen hat, können sie ihr Handeln auch entsprechend danach ausrichten und den Gesamterfolg unterstützen.

7 Starten, aber wie? Der Ablauf!

Zunächst ist wieder die Ausgangslage entscheidend für die Herangehensweise, die aber bereits durch die Auftragsklärung bekannt sein sollte. Dennoch kann auf eine mehr oder weniger wiederkehrende und allgemeingültige Struktur zurückgegriffen werden, um sich der Aufgabe zu nähern. Die Vorgehensweise soll zunächst schematisch dargestellt und anschließend näher erläutert werden. Bei aller Systematik soll aber nicht verschwiegen werden, dass es ohne die Expertise, Erfahrung und den geschärften Blick des Interim Managers nicht möglich ist, den individuellen Anforderungen eines Mandats gerecht zu werden. Damit stellt die Persönlichkeit des Interim Managers stets auch einen wesentlichen Teil der Erfolgsaussichten dar.

7.1 Die ersten Tage im Unternehmen

Die ersten Tage bei einem neuen Unternehmen sind in jedem Auftrag die spannendsten und auch anspruchsvollsten. Viele neue Gesichter, neue Namen, neue „Geschichten" und Eindrücke. Eine große Flut von Informationen in kürzester Zeit, die verarbeitet werden müssen, da sie in der Form nicht wieder dargeboten werden. Es ist auch die Zeit des ersten Eindrucks für den Interim Manager und die Mitarbeiter des Unternehmens. Viel hängt davon ab, wie dieser ausfällt. Ist er gut, kann das erste wichtige Vertrauen aufgebaut werden, ist er dagegen schlecht, kann das schon im Vorfeld viele Türen fest verschließen, was es später deutlich schwieriger macht.

Die Reaktionen der Mitarbeiter sind meist von zurückhaltender Freundlichkeit geprägt und kennzeichnen sich durch eine vorsichtige Skepsis, getreu dem Motto: „Erstmal sehen, was das für einer ist. Könnte der gefährlich sein oder am Ende mir sogar nutzen?"

Gerade bei diesem ersten Kennenlernen spielt das psychologische Gedächtnis, wie oben beschrieben, eine wichtige Rolle. Bei einer ersten Begegnung kennt niemand die Erfahrungen und Erlebnisse, die der jeweils andere in sich trägt. So kann ein Mitarbeiter beispielsweise in der Zusammenarbeit bereits negative Erfahrung mit einem Interim Managern gemacht haben. Hierdurch wird die Art und Weise, wie der Interim Manager von diesem Mitarbeiter wahrgenommen wird und wie er auf den neuen Interim Manager reagiert, beeinflusst.

Wie ebenfalls oben bereits dargestellt, hat jedes Unternehmen seine eigenen ungeschriebenen Gesetze, Regeln und eine eigene Identität. Da diese dem Interim Manager zu Beginn nicht bekannt sind, ist hier besonders Aufmerksamkeit und Anpassung außergewöhnlich wichtig.

Zu diesem Sachverhalt durfte ich bei einem Training für interkulturelle Zusammenarbeit eine interessante Erfahrung machen. Es wurde dabei Hintergrundwissen zu diesen unausgesprochenen Spielregeln vermittelt.

Zunächst sind wir dazu aufgefordert worden, an einem Spiel teilzunehmen. Es waren insgesamt 16 Personen, die vier Gruppen bildeten und mit je zwei Teams mit zwei Spielern gegeneinander antraten. Zu Beginn erhielten wir die Spielregeln. Es war den Teilnehmern lediglich gestattet, diese in der jeweiligen Zweiergruppe einmal durchzulesen, ohne sich mit den anderen Spielern auszutauschen. Anschließend mussten die ausgehändigten Spielregeln wieder abgeben. Dann spielten wir gegen das andere Zweierteam in unserer Gruppe. Nach einer Weile wechselten wir durch. Die Zweierteams spielten nun mit einem Zweierteam aus einer anderen Viertergruppe. Dieser Vorgang wurde so oft wiederholt, bis jedes Team einmal gegen alle anderen Teams gespielt hatte. Während der einzelnen Spiele kam es immer wieder zu Diskussionen, wie die Spielregeln lauteten. Es war für alle etwas irritierend, da die anderen Teams die Spielregeln offensichtlich nicht richtig verstanden hatten, und so versuchte man, sich auf einen gemeinsamen Weg zu verständigen. Dabei setzten sich einige Teams stärker als andere durch, die dann meist das Spiel auch gewannen.

Nachdem alle Runden gespielt waren, fragte die Trainingsleiterin nach den Gewinnern und wie oft diese gewonnen hätten.

Zu unserer Überraschung stellte sich die Auflösung der zuvor entstandenen Irritationen als eine ganz andere heraus, als wir erwartet hatten. Die Spielregeln waren für jede der ursprünglichen Zweiergruppen unterschiedlich, was allen Beteiligten verschwiegen worden war. Ohne die jeweils anderen Regeln zu kennen, glaubten alle, die anderen Teams spielten nach den gleichen Regeln wie sie selbst. Das war allerdings nicht der Fall und der Grund, weshalb es zu den Irritationen gekommen war. Das erklärte wahrscheinlich auch, warum die Teams gewonnen hatten, die ihre Spielregeln gegenüber den anderen durchgesetzt hatten. Es handelte sich somit nicht unbedingt um die besseren Spieler, sondern um Teilnehmer, die sich dominanter verhielten. Vordergründig mag solch ein Sieg wie ein Erfolg ausgesehen haben, aber wie fühlten sich die Teams, die nicht gewonnen hatten sowie deren Regel nicht berücksichtigt wurden, und was würde das für die weitere Zusammenarbeit bedeuten? Es dürften wohl eher Widerstände aufgebaut werden, anstatt eine Basis für eine gute Interaktion zu schaffen. Früher oder später wird dies negative Folgen mit sich bringen, wenn die „offene Rechnung" beglichen wird.

Dieses Training sollte die eigene Wahrnehmung für die Zusammenarbeit mit anderen bzw. mit anderen Kulturen sensibilisieren. Die Erkenntnis daraus ist also, dass nicht alle genauso denken, fühlen und wahrnehmen wie man selbst. Nicht jeder spielt nach den gleichen Regeln und nicht jedem sind alle Regeln im gleichen Umfang bekannt, was nur allzu schnell im Tagesgeschäft vergessen wird.

Folglich werden die Reaktionen und Verhaltensweisen auch nicht immer so ausfallen, wie wir es vielleicht erwarten würden. Bevor man also davon ausgeht, dass alle anderen die gleichen Regeln befolgen, sollte man in den Austausch gehen, um herauszufinden, wie es sich tatsächlich verhält. Aber auch hier bleibt ein Restrisiko, in dem geglaubt wird, dass beide Partner das gleiche Verständnis von einer Sache haben, es allerdings dennoch so nicht der Fall ist. Deshalb muss stets auf eventuelle Missverständnisse geachtet werden.

Für mich war das eine nachhaltige Erfahrung, die ich fortan berücksichtigt habe.

Wie ist also das Vorgehen ganz konkret in den ersten Tagen und Wochen?

Im Gegensatz zu den im erste Teil des Buches erläuterten Themen ist das eher unspektakulär und vielen wahrscheinlich vertraut, aber gerade die im Vorfeld aufgezeigten Hintergründe kommen hier zum Bedeutung bei der eigentlichen Herangehensweise. Hier findet sich die Begründung, weshalb ich zunächst darauf in dieser Form eingegangen bin.

Das Vorgehen selbst kann grob in 4 Phasen eingeteilt werden, was aber auch klar von dem Aufgabenschwerpunkt abhängt, der im Vorfeld abgeklärt werden muss. Es lohnt sich, an dieser Stelle bei der Auftragsklärung Klarheit und Transparenz sicherzustellen. Spätere Änderungen können ohnehin während des Mandats noch auftreten.

7.2 Die erste Woche: Was ist los im Unternehmen?

Zunächst geht es um das Kennlernen der wichtigsten Kontaktpersonen und es ist herauszufinden, wie die Strukturen im Unternehmen sind. Wer arbeitet mit wem zusammen oder auch nicht? Wer hält im Unternehmen die Macht bzw. den Einfluss, und das besonders informell? Wo sind die eigentlichen Player und welche könnten dem Unternehmen den größten Nutzen bringen, wenn sie die Gelegenheit dazu bekommen?

Von wem sind welche Informationen und welche Unterstützung zu bekommen? Wo sitzen die Beschützer der „Königreiche" und welche Auswirkungen hat dies für das Unternehmen und die Handlungsfähigkeit der anderen Mitarbeiter?

Wie sind die Verbindungen zwischen den Mitarbeitern, wer möchte an den alten Strukturen festhalten und wer würde gerne Veränderungen voranbringen?

Welche Regelmeetings existieren und wie wird das Unternehmen gesteuert?

Wo liegen die Themen, die bearbeitet werden sollen bzw. müssen?

Im Grunde sind zunächst viele Fragen zu stellen und zu beantworten, die einen schnellen Überblick gewährleisten und die Basis für die weitere Analyse und erste Maßnahmen bzw. Handlungen bilden.

7.3 Die zweite Woche: Was ist wo und wie zu tun?

Nachdem das erste Kennenlernen in der ersten Woche stattgefunden hat, ist herauszuarbeiten und zu unterscheiden, welche Themenfelder es gibt (Führung und Personal, Maschine und Anlagen, Material und Materialversorgung sowie Organisatorisches).

Führung und Personal:

Wie arbeitet das Führungsteam bzw. wie führt es die Mitarbeiter oder wie wurden die Mitarbeiter in der Vergangenheit geführt? Arbeiten die Abteilungen untereinander zusammen oder gegeneinander und wenn ja, welche und warum?

Gibt es an dieser Stelle Ursachen für Lieferschwierigkeiten oder Qualitätsprobleme?

Fehlen Qualifikationen und sind alle an der richtigen Stelle eingesetzt? Sind zu viel oder zu wenig bzw. die falschen Mitarbeiter an Bord?

Wo liegt der Krankenstand? Welche Ursachen stehen hinter einem evtl. zu hohen Krankenstand?

Maschinen und Anlagen:

Wo befinden sich die kritischen Anlagen und Prozesse? Welche Anlagen sind der Bottleneck oder weisen besonders oft Störungen auf bzw. produzieren überdurchschnittlich viel Ausschuss? Welche Besonderheiten gibt es und was könnte unterschätzt werden?

Material und Materialversorgung:

Gibt es Material, das nicht in der ausreichenden Menge und Qualität zur Verfügung steht? Sind die Ursachen hierfür im Unternehmen oder bei den Lieferanten zu suchen? Welche Lieferanten sind als problematisch einzustufen oder stellen ein Risiko für die Versorgung dar? Stimmen die Prozesse bei der Lagerhaltung und Logistik etc., welche Auffälligkeiten und Besonderheiten gibt es?

Organisatorisches:

Wie ist die Ablauf- und Aufbauorganisation strukturiert? Gibt es Prozesse, die hinderlich für das Unternehmensergebnis und die Entwicklung des Unternehmens sind, und wer spielt welche Rolle dabei? Welche Interessen werden von wem und aus welchem Grund vertreten? Wo befinden sich Schnittstellen und wie werden diese gesteuert? Ist der Informationsfluss sichergestellt?

In jedem Fall ist es wichtig, Transparenz herzustellen, um die Basis für alle weiteren Aktivitäten zu schaffen. Wer sich an den Grundsatz hält „Dritte Personen müssen ohne weiteres verstehen können, worum es geht", befindet sich auf dem richtigen Weg zur Transparenz. Wer so agiert, macht sich unter Umständen überflüssig, aber auch begehrt. Ein Widerspruch, der ein gewisses Risiko für einen festangestellten Mitarbeiter in sich trägt, aber durch den Nutzen für das Unternehmen die besseren Chancen und die Arbeitsplatzsicherung bietet. Für den Interim Manager ist dieser Punkt weitgehend unerheblich, da er ohnehin zeitlich begrenzt für das Unternehmen tätig ist. Dennoch ist diese Herangehensweise auch für den Interim Manager die zielführende.

Die Einführung oder Weiterentwicklung von Shopfloor Management bereits jetzt zu Beginn anzustreben, ist gerade in der Produktion ein gutes Mittel, hilfreiche Informationen zu erhalten, aber auch auszutauschen. Abseits der Produktion, beispielsweise in der Verwaltung, kann der tägliche Austausch auf dem Weg zur Transparenz ebenfalls sehr nützlich sein.

7.4 Die dritte Woche: Was sind die Maßnahmen?

Spätestens in der dritten Woche sollte soweit Klarheit über die Rahmenbedingungen und Herausforderungen herrschen, damit die ersten wirkungsvollen Maßnahmen gestartet und umgesetzt werden können. Verantwortungen müssen klar geregelt und Ursachen eindeutig zugeordnet werden. Bei diesem Vorgehen hilft die Einteilung der Maßnahmen – wie später noch einmal näher beschrieben – in kurz-, mittel- und langfristig. Diese Einteilung erlaubt schnelle Ergebnisse, ohne den nachhaltigen Erfolg dabei zu vernachlässigen. Bei der Umsetzung und der Vorgehensweise wird sich an dem Wertschöpfungsprozess orientiert und nicht an einzelnen Personen. Auf diese Weise wird vermieden, eine Organisation um Personen aufzubauen, anstatt sich an den Anforderungen des Unternehmens zu orientieren.

Besonders die verschiedenen Teams sollten ihre Aufgaben und Verantwortungen nun kennen und einen gemeinsamen Weg unterstützen. Es ist aber auch die Zeit, in der die erste Freundlichkeit den ersten deutlichen Widerständen und Provokationen weicht. Nun gilt es, beständig und konsequent dranzubleiben und weiter Überzeugungsarbeit zu leisten, ohne sich provozieren zu lassen. Wichtig ist es, dass der Prozess des Überzeugens seine Grenzen hat und die Mitarbeiter, die sich nicht überzeugen lassen wollen, auch nicht überzeugt werden müssen. Manchmal hilft es, ein Problem dort zu belassen, wo es hingehört. In diesem Fall beim Mitarbeiter. Von ihnen wird dennoch die Mitarbeit an den gemeinsamen Zielen unmissverständlich und konsequent eingefordert. Es geht nicht darum, recht und allen gerecht zu werden, sondern die gesteckten Ziele gemeinsam zu realisieren, indem alle ihre Verantwortung zur Leistungserbringung übernehmen. Dieser Sachverhalt bedeutet allerdings in den meisten Fällen auch, dass einige Mitarbeiter gegen ihre Ansichten zu Gunsten des Unternehmens und der Allgemeinheit mitwirken müssen.

7.5 Die Folgewochen: Umsetzung und Evaluation

Nachdem nun die ersten drei Wochen genutzt wurden, die Ist-Situation zu analysieren und die Maßnahmen nach dem Schema kurz-, mittelfristig und langfristig ausgearbeitet und gestartet wurden, sollten je nach Rahmenbedingungen die ersten Maßnahmen ihre Wirkung zeigen. Sie stellen die Basis her, um in einem etwas „ruhigerem Fahrwasser" agieren zu können. Der erste Aktionismus weicht dem strukturierten Vorgehen. Es geht nun darum, die Materie weiter in der Tiefe zu durchdringen und ggf. gegenzusteuern und nachzuschärfen. Sind die bereits getroffenen Maßnahmen die richtigen, müssen sie noch angepasst bzw. ausgeweitet werden oder sogar korrigiert? Sind die installierten Regelkreise und Meetings wirkungsvoll in ihrer Ausführung und Form oder müssen sie erweitert bzw. können sie wieder etwas reduziert werden?

Nach den ersten Impulsen folgt nun der „Ausdauerlauf", bei dem immer wieder Hindernisse und Hürden aufkommen, die aus dem Weg zu räumen und zu bewältigen sind. Der Fortschritt der Maßnahmen und ihre Erfolge müssen dabei fortlaufend überprüft und konsequent nachgehalten werden.

Nicht nur die Abläufe in den ersten Wochen und den Folgewochen durchlaufen unterschiedliche Phasen, auch beim Verhalten der Mitarbeiter lassen sich mehrere Phasen und unterschiedliche Verhaltensweisen ausmachen. Zunächst ist die bereits beschriebene freundliche Zurückhaltung zu beobachten. Diese wird allerdings schon nach kurzer Zeit davon abgelöst, dass einige Mitarbeiter testen, wie weit sie gehen können und wo die Grenzen liegen. Andere öffnen sich und suchen vorsichtig die Zusammenarbeit.

Das erste Austesten der Grenzen weitet sich aus zu Widerstand und Konfrontation. Es wird versucht, sich gegen die neue Situation zu stemmen. Ein anderer Teil verstärkt die Zusammenarbeit und geht motiviert mit Aufbruchsstimmung in die neuen Aufgaben. Dieser Teil der Mitarbeiter wollte meist auch schon in der Vergangenheit

Veränderungen und freut sich nun darüber, diese jetzt endlich mitgestalten zu können.

Dazwischen existiert eine große Anzahl von Mitarbeitern, die sich eher neutral und abwartend verhalten.

Die Herausforderung besteht jetzt darin, diese mitzunehmen und von Betroffenen zu Beteiligten zu machen. Hier helfen wieder die beschriebene Einbindung und eine gute Informationspolitik.

Besonders die Widerständler sollten nun noch umgestimmt werden. Oft gelingt dies noch, aber es kommt auch immer wieder vor, dass der eine oder andere nicht mitgenommen werden kann, weil er sich beständig verweigert. Im Interesse des Unternehmens und allen anderen Beschäftigten kann in diesem Fall als letztes Mittel nicht ausgeschlossen werden, dass solche Mitarbeiter dann das Unternehmen verlassen sollten. Das kann auf freiwilliger Basis oder eben auch im gegenseitigen Einvernehmen geschehen. Hiervon geht nicht nur für diejenigen ein Signal aus, die sich einer Zusammenarbeit vehement verschließen, sondern auch für diejenigen, die etwas im Unternehmen bewegen möchten. Es zeigt ihnen, dass der Interim Manager bereit ist, die nötigen Konsequenzen umzusetzen, und stärkt damit die Mitarbeiter, die die Veränderungen, und damit den Erhalt des Unternehmens, mittragen. Ohne dieses Handeln besteht die Gefahr des Scheiterns der angestrebten Veränderungen bzw. Vorhaben, da Unterstützer Rückhalt verlieren und dadurch die Unterstützung unweigerlich verloren geht.

Eine fortlaufende Dokumentation über den Verlauf des Mandats gibt dem Auftraggeber und dem Interim Manager die Möglichkeit der Transparenz und Abstimmung, um ggf. gegensteuern zu können. Ein oder mehrere Zwischenberichte halten den jeweiligen Stand fest. Die Häufigkeit richtet sich nach der Dauer des Mandates.

7.6 Zum guten Schluss!

Nicht nur ein guter Start ist wichtig für ein erfolgreiches Mandat, sondern genauso bedeutend ist ein guter Abschluss. Dieser sollte für den Kunden wie auch für den Interim Manager als Zeichen eines erfolgreichen Projektes stehen.

Ein Abschlussbericht fasst neben der Einleitung mit der Ausgangssituation und der daraus resultierenden Aufgabenstellung den Umfang der erbrachten Leistungen zusammen sowie den aktuellen Status und enthält eine Handlungsempfehlung für das weitere Vorgehen.

Die Abstimmung mit dem Kunden und das Einholen von Feedback geben dem Auftraggeber und dem Interim Manger noch einmal die Möglichkeit, offene Fragen zu klären und zu reflektieren. Daraus resultiert die Chance, den gemeinsamen Nutzen sicherzustellen und Verbesserungspotenziale herauszuarbeiten.

Die Arbeit des Interim Managers ebnet den Weg für die darauffolgende Führungs- oder Fachkraft. Struktur und Transparenz sollte weitgehend hergestellt sein. Eine gute Übergabe, soweit das vom Kunden gewünscht ist, ermöglicht einen guten Start für den festangestellten Mitarbeiter, der die Aufgabe dauerhaft übernimmt und ausfüllt. Für das Unternehmen sollte sich so der Mehrwert noch über die Zeit der Tätigkeit des Interim Managers hinaus entfalten. Die Investition, die der Einsatz eines Interim Managers darstellen sollte, zahlt sich auf diese Weise längerfristig aus.

8 Die Vorgehensweise!

Die Darstellung des Ablaufs überschneidet sich in vielen Fällen mit dem, was im vorigen Kapitel beschrieben wurde. Das liegt an der Tatsache, dass die beiden Gesichtspunkte nicht chronologisch ablaufen, sondern parallel.

Zunächst aber noch ein Hinweis: Unabhängig von der gezeigten Herangehensweise ist von Beginn an die Arbeitnehmervertretung einzubinden. Das ist nicht nur in vielen Fällen gesetzlich vorgeschrieben, sondern vermeidet auch unnötige Verzögerung, Kosten und Aufwand bei der Umsetzung.

Schematische Darstellung der Vorgehensweise im Mandat:

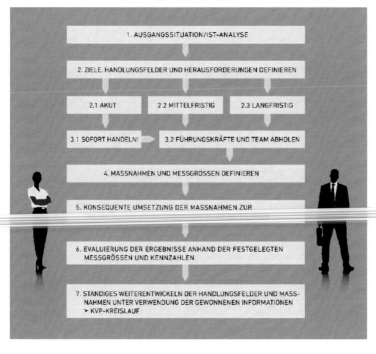

8.1 Die Ausgangssituation und IST-Analyse

Die Ausgangssituation kann so vielschichtig sein, wie es unterschiedliche Interim Mandate gibt. Der eigentliche Sinn ist oft die Überbrückung einer Vakanz. Das alleine ist aber eher die Ausnahme. Meist sollen Projekte weitergeführt bzw. wieder auf die Erfolgsspur gebracht werden. Oft besteht die Aufgabe aber auch darin, bestimmte Kennzahlen in den gewünschten Zielkorridor zu bringen und sie möglichst darüber hinaus zu verbessern. Wenn es nicht gerade um eine fachliche Aufgabe geht, ist besonders auch die Führungsaufgabe von Bedeutung, wie schon der Name „Manager" beinhaltet. Es ist also zu analysieren, wie es um die einzelnen Ressourcen bestellt ist und wo das Zusammenspiel gegenwärtig nicht optimal gewährleistet werden kann. Hierzu ist es erforderlich, die genannte Transparenz zu schaffen und eine klare Trennung zwischen den Verantwortungen sicherzustellen. Anfangs gleicht dies dem Fischen im Trüben. Aus Angst vor Repressalien oder aufgrund von schlechten Erfahrungen versuchen einige Mitarbeiter, so intransparent und unkonkret wie möglich zu sein. Es existieren umfangreiche Gründe, warum Erfolge nicht erzielt werden und Ziele nicht erreicht. Auch die Abteilungen untereinander jonglieren Verantwortlichkeiten hin und her. Zuständigkeiten scheinen oft nicht klar oder sind nicht geregelt. Die Aufgaben, die nicht eindeutig zugeordnet sind, bleiben unbearbeitet und führen früher oder später zu Störungen im Ablauf bzw. sind bereits eine der Ursachen für Ablaufprobleme. Gerade hier gilt es, Transparenz herzustellen und Verantwortungen einzufordern, damit Ursachen und Schwachpunkte deutlich werden. Entsprechende Maßnahmen, die das beheben, können erst nach diesem Schritt generiert werden. Wo keine Transparenz herrscht, sind Maßnahmen Zufallsaktionismus, der im besten Fall eine unkontrollierte Verbesserung herbeiführt und im schlechtesten Fall Ressourcen verschwendet sowie wichtige Zeit ungenutzt verstreichen lässt.

Es ist mindestens genauso wichtig, zu verstehen, warum eine Sache erfolgreich war und funktioniert, wie das Verständnis dafür, warum etwas nicht funktioniert hat und wie die Lösung für das, was nicht funktioniert, aussehen muss. Andernfalls kann Erfolg schnell der Grund für Misserfolg in der Zukunft werden, da er nicht reproduzierbar ist und potenzielle Gefahren nicht erkannt werden.

Aus diesem Grund sollte also eine klare Trennung der genannten Ressourcen durchgeführt werden. Bezogen auf die Produktion und Logistik sind hier die typischen Größen hilfreich, ähnlich dem Ishikawa-Diagramm, was nicht ohne Grund auch Ursache-Wirkung-Diagramm genannt wird, wie bei Wikipedia nachzulesen ist. Übertragen und vereinfacht kann diese Einteilung in Führungskräfte/Mitarbeiter, Maschinen und Anlagen, Material und Materialversorgung sowie Umwelt, womit alle anderen Einflussgrößen gemeint sind, erfolgen. Dabei ist zu klären, ob die Ressourcen ausreichend und im richtigen Umfang zur Verfügung stehen. Ist beispielsweise die Anzahl der Mitarbeiter mit den entsprechenden Qualifikationen vorhanden, ist das Material in ausreichender Menge und Qualität zur richtigen Zeit verfügbar, sind die Anlagen geeignet und reichen die Kapazitäten für die Bedarfe, laufen sie mit geringen Störungen, wird die Produktion auf die richtige Art und Weise gesteuert und arbeiten alle Abteilungen in erforderlichem Maß zusammen usw.

Bei der Erfassung einer Situation oder bei einer IST-Aufnahme wird die Aufmerksamkeit häufig auf das Offensichtliche und den „großen Wurf" gelenkt. Bei der ganzheitlichen Betrachtung bin ich bereits darauf eingegangen, es wird oft mehr auf die Symptome geachtet als auf die Ursachen. Zwar helfen Tools wie 5-Why, in die Tiefe vorzudringen und Ursachen zu ermitteln. Wobei solche Methoden nicht helfen, die Richtung zu finden, in die die Analyse gerichtet und durchgeführt werden sollte.

Das sind also zwei wichtige Aspekte, die bei der Analyse beachtet werden müssen. Aber auch wenn die Richtung stimmt, ist noch lange nicht klar, dass der richtige Blickwinkel für die Analyse gefunden wird. Beispielsweise hat das Robert-Koch-Institut auf seinem Schild am Eingang stehen: „Man sieht nur, was man weiß", was das Dilemma unserer Wahrnehmung sehr gut beschreibt. Dem muss angemessen entgegengewirkt werden. Übertragen auf ein Unternehmen wird oft von Betriebsblindheit gesprochen, wo an dieser Stelle der Blick von außen helfen kann, aber auch die Änderung der Perspektive kann schon sehr hilfreich sein.

Die großen „Brocken" bzw. der „große Wurf", das sind die Themen, bei denen sich oft schon sehr viele Gedanken gemacht haben und das Potenzial für Verbesserungen häufig sehr gering ist. Das Pareto-Prinzip ist hier meinst schon „gekippt" und der Aufwand für die letzten 10 bis 20 % Nutzen machen 80 bis 90 % aus. Es kann aber durchaus erforderlich sein, diesen Aufwand aus zwingenden Gründen zu erbringen.

Deutlich interessanter hingegen sind die anderen, die unscheinbaren Potenziale, die bislang noch keine Beachtung gefunden haben, da sie offensichtlich keinen ausreichenden Effekt bringen würden. Für sich genommen mag das auch tatsächlich so sein, als Gesamtheit haben sie aber den Charme, dass mit wenig Aufwand eine Verbesserung erzielt werden kann. Das Pareto-Prinzip greift hier besonders gut; 10 bis 20 % Aufwand mit 80 bis 90 % Ergebnis. Die kleinen Einzelmaßnahmen aufsummiert ergeben dann einen deutlichen und positiven Effekt bei den Ergebnissen. Je größer und unübersichtlicher eine Einheit im Unternehmen ist, umso größer sind die Effekte, die damit erreicht werden können, wenn dieses Vorgehen kontinuierlich beibehalten wird. Dabei hilft es auch, Daten von verschiedenen Gesichtspunkten her aufzubereiten und auszuwerten. So kommen immer wieder unerwartete Muster zustande, die wertvolle Hinweise für Prozessverbesserungen liefern. Daraus folgt: dort hinschauen, wo nicht hingeschaut wird, anstatt immer nur dort. wo es offensichtlich zu sein scheint, aber wenig zu erreichen ist.

Hierzu wieder ein Beispiel aus meiner Praxis, in dem es um die Reduzierung von Ausschuss für ein Werk mit ca. 400 Mitarbeitern ging.

Die Ausschusskosten nahmen einen wesentlichen Posten ein und wurden bei den Werkskennzahlen erfasst. Da lag es nahe, diesen

Kostentreiber zu senken. Die Hauptverursacher waren seit langer Zeit bekannt und es gab viele mehr oder weniger erfolgreiche Versuche, den Ausschuss zu reduzieren. Meist handelte es sich entweder um besonders teure Produkte oder welche, die in hohen Stückzahlen produziert wurden, bzw. beides. Nachdem ich mich dem Thema auf die oben beschriebene Art und Weise genähert und die Daten aus verschiedene Betrachtungswinkeln ausgewertet hatte, konnte ich eine größere Anzahl an kleineren Maßnahmen ausmachen, die wenig Aufwand bei der Umsetzung erforderten. Nach vergleichsweiser kurzer Zeit (ein paar Wochen) konnten so die Ausschusskosten über das gesamte Werk von 7 % auf 5 % gesenkt werden. Oft sind es nur Kleinigkeiten, die große Wirkungen zeigen, wenn sie nur angegangen werden.

Es handelt sich hier zwar um ein Beispiel, das vorwiegend Ausschuss betrifft, die Vorgehensweise kann aber auf andere Anforderungen durchaus übertragen werden.

Auch die Analyse der informellen Zusammenhänge ist sehr wichtig, um die Funktion eines Unternehmens schnell zu verstehen. Wer kann mit wem gut und wer kann mit wem nicht gut usw. Da diese Netzwerke oft komplex sind, hilft es, sich das mit einem Pfeildiagramm zu visualisieren. Hierzu können gute und weniger gute Zusammenarbeiten, soziale Kontakte und noch nicht geklärte Zusammenhänge mit unterschiedlichen Farben und Richtungen – natürlich auch in zwei Richtungen gleichzeitig – gekennzeichnet werden. Dieses Vorgehen bedeutet auch, dass die Key-Player im Unternehmen ermittelt werden müssen und können. Hierbei handelt es sich nicht, wie bereits erwähnt, zwangsläufig um Führungskräfte, die einen entsprechenden Einfluss im Unternehmen geltend machen, es können auch andere Mitarbeiter in Betracht kommen. Beispielsweise können Mitarbeiter auch in Vereinen oder anderer Form privat gut vernetzt sein.

8.2 Ziele, Handlungsfelder und Herausforderungen definieren

Die übergeordneten Ziele sind meist schnell gefunden oder bereits bekannt. In einigen Fällen sind es auch eher die Symptome, die offensichtlich sind. Hier ist das Ziel, die Ursachen zu ermitteln, um über sie wieder die Symptome zu beheben.

Das alleine reicht allerdings nicht aus und es müssen Ziele bzw. Handlungsfelder, die an die Ursachen gehen und die zu den Zielen führen, für die jeweiligen Teammitglieder gefunden und bestimmt werden. Damit diese sich gegenseitig nicht behindern oder im schlimmsten Fall gegensätzlich ausgerichtet sind, sollte die Zielfindung nicht ausschließlich in Einzelgesprächen stattfinden, sondern möglichst auch in Abstimmung mit dem Team, sodass es am Ende eine Kombination aus individuellen und gemeinsamen Zielen mit möglichst großer Ergebnisübereinstimmung für alle Teammitglieder ergibt. Aus diesen Zielen ergeben sich die jeweiligen Handlungsfelder mit klaren Abgrenzungen sowie hoher Transparenz und mit der Intension, die Ursache-Wirkung klar zuordnen zu können. Nur so sind auch die Verantwortungen eindeutig abgrenzbar, und wie bereits oben dargestellt, sorgt Verantwortung für Lösungsfindung.

8.3 Akut, mittelfristig, langfristige Maßnahmen und Handlungsfelder

Bei den aus den ermittelten Zielen resultierenden Maßnahmen und Handlungsfeldern ergeben sich unterschiedliche Anforderungen. Es hat sich als sehr hilfreich herausgestellt, diese in sofort, also akut, mittelfristig und langfristig einzuteilen, da die jeweiligen Anforderungen unterschiedliches Handeln erforderlich machen.

a) **Akut** bedeutet, dass schnell und ohne Verzögerung gehandelt werden muss, um Schaden vom Unternehmen abzuwenden. Das können beispielsweise massive Rückstände, Qualitätsprobleme, ein drohender Bandstillstand beim Kunden oder die Gefahr von Auftragsverlust sein. Themen der Arbeitssicherheit dulden ohnehin keinen Aufschub und gehören ebenfalls dazu.

Hier ergibt es keinen Sinn, lange Meetings und Besprechungen einzuberufen und darüber zu debattieren, was die nächsten Maßnahmen sind; es muss unverzüglich und sofort gehandelt werden!

b) Unter **mittelfristig** sind die Aktivitäten zu verstehen, die kurz- bis mittelfristig eine positive Veränderung in Richtung der gewünschten Ergebnisse bewirken bzw. bewirken sollen. Darunter können beispielsweise Verbesserungen der Abläufe und Prozesse verstanden werden, die nur geringe Investitionen erforderlich machen und zum größten Teil durch organisatorische Anpassungen und Mitarbeiterschulungen bzw. -trainings erreicht werden. Aber auch die Behebung von Störungen in Abläufen sowie bei Anlagen und von Qualitätsproblemen sind wichtige Stellgrößen. Oft lassen sich hierdurch schon erhebliche Verbesserungen erzielen, die sich deutlich im Betriebsergebnis niederschlagen.

c) Unter **langfristig** sind alle Maßnahmen zu verstehen, die mehr Vorlaufzeit benötigen und ihre Wirkung erst zu einem späteren Zeitpunkt entfalten, da hierzu tiefgreifendere Veränderungen oder die Beschaffung von Anlagen bzw. das Recruiting von Personal erforderlich sind. Auch eine weitreichende Umstellung der

Unternehmens oder Unternehmenseinheiten gehören dazu. Diese Handlungsfelder bauen auf die kurzfristigen und mittelfristigen Maßnahmen auf und stellen den nachhaltigen Erfolg sicher. Der zeitlich unterschiedliche Fokus der drei Vorgehensweisen bildet so ein gemeinsames Konzept, das sich gegenseitig stützt und ergänzt.

8.4 Führungskräfte und Team abholen

Die Führungskräfte und Mitarbeiter abzuholen und auf die gemeinsamen Ziele bzw. Vorgehensweise einzuschwören, ist ein Schritt, der genau genommen auch schon mit der Ausarbeitung bzw. mit dem Definieren der Ziele einhergeht. Dennoch geht es hier in erster Linie darum, einen gemeinsamen Konsens zu schaffen und alle Beteiligten auf den gleichen Informationsstand zu bringen. Nicht jede Führungskraft und jeder Mitarbeiter hatte bis dahin die Gelegenheit, alle Informationen zu erhalten. An dieser Stelle wird jedem Mitarbeiter die Möglichkeit eingeräumt, aufkommende Fragen zu stellen. Ein Austausch untereinander wird ermöglicht. Anregungen können eingebracht werden und den Mitarbeitern wird die Chance, sich einzubringen, gegeben. Hierbei kommt oft auch mal die Frage der Mitarbeiter: „Warum soll ich da mitmachen, dann verliere ich meinen Job, wenn wir rationalisieren?" In diesem Fall lautet meine Antwort: „Es ist wahrscheinlicher, dass Sie in Zukunft keinen Job mehr haben, wenn wir nichts unternehmen, als wenn wir was unternehmen und damit das Unternehmen wettbewerbsfähig halten. Eine Garantie, dass Sie Ihren Job behalten können, kann Ihnen niemand geben, da es sich dabei um eine der ganz normalen Risiken im Leben handelt, aber Sie haben so zumindest eine gute Chance, Ihren Job zu erhalten!" Das ist sicher nicht die Antwort, die sich ein Mitarbeiter erhofft. Ungeachtet dessen dürfen auch keine Versprechen gegeben werden, die vielleicht nicht eingehalten werden können. Den Mitarbeiter zu ermutigen, die Chancen zu ergreifen, die sich bieten, ist hier die Aufgabe.

Es handelt sich auch um den Zeitpunkt, an dem das jeweilig passende Team gebildet wird. Dieser Aspekt kommt, noch bevor sich der Fokus auf die Technik, Prozesse und Abläufe richtet. Zur Erinnerung möchte ich nochmal auf den Punkt hinweisen, dass zunächst die Grundvoraussetzungen und die richtige Richtung für die Anstrengungen stimmen müssen, bevor die Aktivitäten gestartet werden. Wie schon erwähnt, falsche Prozesse und Systeme zu „befeuern", erhöht nur die Schwierigkeiten und Probleme. Es geht also schneller in die falsche Richtung. Für diesen Fall bedeutet das: Nur mit dem richtigen Team sind die Ziele erreichbar. Die passenden Mitarbeiter werden hinter den gesteckten Zielen stehen und damit wissen, was zu tun ist. Hierzu müssen der Weg bzw. die Vorgehensweise vermittelt werden und welcher Zweck damit verfolgt wird. Daraus ergibt sich die Sinnhaftigkeit für das gesamte Team. Welche Rolle das für die Umsetzung spielt, wurde bereits erläutert.

8.5 Maßnahmen und Messgrößen definieren

Wie bei den erforderlichen Maßnahmen vorzugehen ist (Kategorisierung in kurz-, mittel-, langfristig), das wurde gerade dargestellt. Damit die Maßnahmen erfolgreich umgesetzt werden können, sind neben den Verantwortlichkeiten und den Terminen auch die Messgrößen festzulegen. Entsprechende Kennzahlen und regelmäßige Abstimmungen in Form von Regelterminen, die den Status des Fortschritts monitoren, müssen an diesem Zeitpunkt installiert werden. Eine sorgsame Auswahl sowie die Transparenz und Nachvollziehbarkeit sind wichtige Voraussetzungen, um die Nachhaltigkeit zu gewährleisten und Stellgrößen erkennen zu können. Soweit es erforderlich ist, werden die Maßnahmen erweitert und die Messgrößen den Anforderungen angepasst. Je mehr Input aus dem Team generiert werden kann, desto präziser und valider werden die Messgrößen. Die Wirksamkeit der Maßnahmen wird so zunehmend deutlicher und transparenter.

8.6 Konsequente Umsetzung der Maßnahmen

An erster Stelle ist die Umsetzung entscheidend! Ideen gibt es oft viele. Woran es allerdings in den meisten Fällen hapert, sind die Umsetzung und das damit verbundene Durchhaltevermögen bzw. Ergebnis.

Der Effekt der Beachtung ist bei der Umsetzung substanziell. Was Beachtung erhält, verändert bzw. verbessert sich schon alleine aus diesem Grund. Die Mitarbeiter nehmen sehr genau wahr, was für eine Führungskraft wichtig ist. Oder umgekehrt: Wenn beim Mitarbeiter der Eindruck entsteht, eine Sache ist für die Führungskraft nicht wichtig, wird sie auch für den Mitarbeiter nicht wichtig sein. Das Engagement nimmt zwangsläufig ab. Dieser Vorgang tritt immer dann auf, wenn die Führungskraft einer Sache nur geringe oder keine Aufmerksamkeit und damit zu wenig Beachtung schenkt.

Für die operativen Bereiche wie beispielsweise Produktion und Logistik hat sich in diesem Zusammenhang die Einführung des Shopfloor Managements, wie bereits erwähnt, als sehr hilfreich herausgestellt. Shopfloor Management ermöglicht einen regelmäßigen und ungezwungenen Austausch zwischen Mitarbeitern und Führungskräften. Eine Einbahnstraße in Richtung des Mitarbeiters wird vermieden. Die involvierten Mitarbeiter haben so stets die Gelegenheit, ihre Anliegen vorzubringen, was Vertrauen und Akzeptanz fördert.

Es stellt zudem ein regelmäßiges Controlling in Bezug auf den Fortschritt der zielgerichteten Maßnahmen dar und zeigt die Potenziale in Form von behebbaren Störungen und möglichen Verbesserungen auf.

Für die Verwaltung lassen sich, wie bereits aufgezeigt, vergleichbare Vorgehensweisen etablieren. Regelmeetings können diese Methode ergänzen. Sie sollten sinnvoll gewählt und festlegt werden, d. h. in den richtigen Abständen und von möglichst kurzer Dauer für einen effektiven Austausch. Je nach Aufwand sind max. 45 min. empfehlenswert.

8.7 Evaluierung der Maßnahmen und Ergebnisse

Die Bedeutung festzustellen, ob ein Ergebnis im Zielkorridor liegt, muss wohl nicht näher erläutert werden. Es stellt sich vielmehr die Frage, wie mit dem Thema umgegangen werden soll, und im Besonderen dann, wenn Ziele nicht, noch nicht oder nicht in der gewünschten Weise erreicht wurden. Vom Lean Management ist uns die Methode der 5 Whys bekannt. Um einer Ursache auf den Grund zu gehen, ist diese Vorgehensweise unumstritten und hilfreich; in der Kommunikation mit den Mitarbeitern hingegen ist sie nicht zu empfehlen! Warum ist das so? Einem Mitarbeiter eine Frage, die mit „warum" beginnt, zu stellen, sorgt unverzüglich und unweigerlich dafür, dass dieser in die Defensive gerät. Ob dies beabsichtigt ist oder nicht, spielt dabei keine Rolle. Wie schon erläutert, wird beim Mitarbeiter durch die Defensive Stress erzeugt, was die Selbstwirksamkeit und die Lösungsfindung stark behindert. Die Kommunikation wird als unangenehm und negativ empfunden, wodurch wiederum die Vertrauensbildung erschwert wird. Verantwortung wird nicht gefördert und die Opferrolle stattdessen begünstigt. Letztendlich schwächt diese Herangehensweise den Mitarbeiter. Warum dies ungünstig ist und wie es dazu kommt, darauf wurde bereits mehrfach eingegangen.

Stattdessen ist es sehr hilfreich, stets mit der Frage zu reagieren: Was können wir gemeinsam oder wir für Sie tun, damit das Ziel erreicht wird? Hieraus ergeben sich gleich zwei wesentliche Vorteile. Der Mitarbeiter wird in die Verantwortung genommen, anstatt in die Defensive gedrängt zu werden, und wird sich somit aktiv an dem Prozess der Lösungsfindung und Zielerreichung beteiligen. Versteckte Widerstände oder zu geringe Leistung können so, ohne sie direkt ansprechen zu müssen und damit Groll zu erzeugen, aufgelöst werden. Wenn beispielsweise ein Ergebnis bzw. eine Leistung nicht dem Ziel entspricht, muss es hierfür eine Ursache geben. Gibt es hierfür keine Erklärung, müsste der Mitarbeiter seine offensichtlich fehlende Leistung irgendwann offenlegen, was er in jedem Fall versuchen wird, zu vermeiden, da es ihm verständlicherweise unangenehm sein dürfte.

Gerade für die Nachtschicht und Sonderschichten am Wochenende, in denen oft keine ausreichende Führungsdichte sichergestellt werden kann, ist diese Methode besonders nutzbringend.

Die klassische Vorgehensweise dürfte das Ansprechen einer vermeintlichen Minderleistung beim Mitarbeiter sein. Auch wenn die Kritik berechtigt sein mag, wird der Mitarbeiter in den meisten Fällen verärgert und mit Widerstand reagieren, was sich in seiner Arbeitsweise sehr wahrscheinlich niederschlagen wird. Mit der Frage „Was können wir tun?" wird dieser negative Effekt vollkommen ausgeschlossen und das positive Gegenteil erreicht.

Entscheidend dabei ist stets das „Wir". So wird vermieden, dass zwei Parteien entstehen und zwar: die da oben und die, die das ausbaden müssen. Das „Wir" bedeutet: Wir sitzen im gemeinsamen Boot und es gibt keine Schuldigen, sondern nur Verantwortliche, alle ziehen am gleichen Strang! Auf diese Weise wird das ständige Weiterentwickeln der Handlungsfelder und Maßnahmen unter Verwendung der gewonnen Informationen zum entscheidenden Prozess, dem KVP-Kreislauf.

8.8 KVP-Kreislauf

Schon lange bevor ich wusste, welche berufliche Zukunft mich erwarten würde, war ich fasziniert von der Tatsache, dass sich alles noch so scheinbar Perfekte verbessern ließ, und so bemerkte ich während dieser Zeit den Effekt: Was zunächst als ideale Lösung erschien, ließ sich auf einmal doch noch wieder verbessern. Bis heute fasziniert mich diese Tatsache ungebrochen. So ist es nur konsequent, einen KVP-Kreislauf zu installieren. Ihn als festen Bestandteil bei seiner Vorgehensweise zu nutzen und diese Philosophie zu etablieren. Jede neue Erkenntnis und jeder veränderte Blickwinkel eröffnen weitere Perspektiven und Möglichkeiten. Die sich ständig und rasant ändernden Rahmenbedingungen führen zusätzlich dazu, dass ältere, verworfene und unter Umständen längst vergessene Ideen und Ansätze wieder sinnvoll sein können und mit neuen Ansätzen kombinieren lassen. Diese bereits abgehakten Optionen wieder zu aktivieren, erfordert aktives Vorgehen, Aufmerksamkeit und beständiges Dranbleiben. Die Mitarbeiter müssen motiviert und ermutigt werden, solche Themen wieder anzusprechen. Gerade wenn diese Lösungsansätze nicht mehr im Bewusstsein vorhanden sind, müssen sie wieder herausgearbeitet und durch entsprechende Impulse wieder ins Gedächtnis geholt werden.

9 Ideen alleine reichen nicht, das Ergebnis zählt!

9.1 Mein Verständnis als Interim Manager von Lean

Lean betrachte ich als Mittel zum Zweck, also um Ziele zu erreichen. Oft kann beobachtet werden, dass Lean zum Selbstzweck wird, und somit werden die Kosten nicht reduziert, sondern erhöht. Gerade wenn Investitionen hierzu in zu großem Umfang und zu schnell in zu kurzer Zeit hintereinander getätigt werden, übersteigen die Kosten die Einsparungen. Die Amortisationszeit kann durchaus im guten Rahmen liegen, soweit aber die Einsparungen im gleichen Zeitraum unter den Ausgaben liegen und damit niedriger ausfallen, kann das auf Dauer kritisch werden. Wenn dann das Auftragsvolumen im gleichen Zeitraum noch einbricht, verschärft sich dieser Effekt noch zusätzlich.

Der zeitliche Ablauf ist deshalb dabei besonders wichtig, da die potenziellen Einsparungen bei zu schnellem Investieren noch nicht zum Reinvestieren genutzt werden können und die Kosten anderweitig gedeckt werden müssen. Unweigerlich wird dadurch die Marge des Unternehmens geschmälert, was durch behutsames Vorgehen vermieden werden kann.

Der bessere Weg ist daher, wenn die Lean-Maßnahmen zunächst nur mit geringen Kosten einhergehen. Sobald Lean zu aufwendig und kompliziert angegangen wird, ist es nicht mehr lean. Ein großer Nachteil ist in diesem Fall auch darin zu sehen, dass nur ein gut ausgebildeter und geschulter Teil der Belegschaft die Lean-Philosophie verinnerlichen kann. Die Umsetzung von Lean wird dadurch erschwert. Eine komplizierte Lean-Philosophie ist somit ebenfalls nicht lean.

Meiner Ansicht nach kann Lean Production bzw. Lean Management nur eingeschränkt über Schulungen vermittelt werden. Lean muss durch das eigenständige Machen erschlossen werden, wodurch dem Mitarbeiter die Möglichkeit gegeben wird, Lean zu erfahren. Zwar können durch entsprechende Schulungen

Begrifflichkeiten und Hintergründe verdeutlicht werden, was auch unbedingt erforderlich ist, aber das Begreifen ermöglichen diese Schulungen nicht. Es verhält sich ähnlich wie mit Lebenserfahrungen, sie können zwar einem anderen Menschen erläutert werden, aber erst wenn diese Person eine vergleichbare Erfahrung selbst macht, wird derjenige sagen: „Ich verstehe in voller Tiefe, wovon die Rede ist."

Hierzu möchte ich wieder einmal eine Erfahrung aus meiner Praxis mit Ihnen teilen.

Bei einer meiner Werkleiterpositionen war ich mit der Hausforderung konfrontiert, die Ausbringung einer Montagelinie in ca. 5 Monaten verdoppeln zu müssen. Diese Anlage, die aus mehreren manuellen Stationen und aufwendigen Montageschritten bestand, wurde bis dahin bereits mehrfach umgebaut, um den Output zu erhöhen. Die Anzahl der Mitarbeiter in der Linie belief sich auf 8 Personen pro Schicht bei 3 Schichten pro Tag und 5 Tagen pro Woche. Die Besonderheit war, es wurde auf dieser Anlage ein Bauteil produziert, welches kurz vor dem Ende seines Produkt-Lebenszyklus stand. Zunächst mussten aber noch einmal deutlich erhöhte Stückzahlen für den Kunden gefertigt werden. Aus diesem Grund stand auch nur ein sehr geringes Budget zur Verfügung.

Die Lean-Kompetenzen im Unternehmen waren zudem noch sehr überschaubar. Einige Mitarbeiter hatten davon gehört, aber bislang keine echten Berührungspunkte gehabt.

Auch hier wurde mir von allen Seiten wieder versichert, dass es unmöglich sei, diese alte Anlage noch auf die hohe Stückzahl zu bringen, und das auch erst recht nicht, ohne noch Investitionen zu tätigen. Für mich stand allerdings fest, das Ziel ist nicht verrückbar. Die Frage war also nicht, ob das Ziel erreicht wird, sondern wie es erreicht wird! Generell ist immer wieder zu beobachten, wie sich die Herangehensweisen meist um das „Ob" anstatt um das „Wie" bewegen. Was dann dazu führt, dass Lösungen nicht gefunden werden und es erst gar nicht versucht wird, ein Ziel zu erreichen.

So durchliefen wir das ganze Programm mit Schulungen und Workshops, bis wir schließlich ein gutes Konzept hatten. Der Umbau fand statt und es hing dann lediglich noch an einer Station, die bis dahin eine unverrückbare Prozesszeit benötigte. Hier blieb uns nichts anderes übrig, als den Prozess genauer zu verstehen und anzupassen. Am Ende hat dieser Punkt 80% der Zeit und des Aufwands ausgemacht, allerdings mit dem Ergebnis, dass wir mit gleicher Mitarbeiterzahl ohne Überstunden die doppelte Ausbringung realisieren konnten. Unweigerlich kommt da die Frage der Belastung der Mitarbeiter auf, aber auch hier konnten wir eine deutliche Reduzierung und Erleichterung erzielen, da wir die Mitarbeiter und den Betriebsrat von Anfang an mit in den Prozess einbezogen hatten und ergonomische Gestaltung der Arbeitsplätze als eine der tragenden Säulen berücksichtigten.

Bei der ganzen Planung und Umsetzung hat mich mein damaliger Stellvertreter und IE-Leiter maßgeblich unterstützt. Er war ein echter Spezialist, was die Technik anging, und ich schätzte ihn als Person und seine Expertise sehr. Immer wieder beeindruckte er mich mit seinem Wissen. Mit Lean Production hatte er allerdings bis dahin nur wenig Erfahrung machen können. Er gab sich verständig und schien alles soweit verinnerlicht zu haben; das dachte ich zumindest. Bis zu dem Zeitpunkt, als es zu einer Anlagenerweiterung kam, die nun zusätzlich noch berücksichtigt werden musste. Eine besonders prägnante Erfahrung war dann für mich, als er einige Zeit nach der Umsetzung des Lean-Konzeptes für die besagte Montagelinie auf mich zukam und sagte: „Jetzt habe ich verstanden, wovon du immer gesprochen hast." Ich war sehr erstaunt über diese Aussage, da ich bis zu diesem Zeitpunkt der Ansicht war, dass er unsere Maßnahmen verstand. Wenn ich ihm etwas erläuterte, nickte er fleißig und wir setzen die Lean-Maßnahmen um.

Die Erkenntnis, die ich daraus entnehmen konnte, war: Wenn ein hoch qualifizierter und gut ausgebildeter Spezialist einige Monate benötigte, um die vordergründig einfachen Zusammenhänge von Lean zu durchdringen, was bedeutet das erst für den Mitarbeiter an der Anlage? Erst das „Machen" führte zu dem echten Verständnis der Wirkung der Lean-Prinzipien.

Besonders freute es mich stets, wenn in den Workshops die Mitarbeiter an den Punkt kamen, an dem ihnen klar wurde, welche Vorteile von Lean ausgingen. Es kam immer wieder zu Aha-Erlebnissen mit den Aussagen: „Da haben wir ja überall Verschwendung." Anschließend gingen diese Mitarbeiter mit hoher Motivation daran, diese zu beheben, und freuten sich über ihre Ergebnisse. Ein sehr positiver Nebeneffekt war jeweils die Identifikation mit dem neuen Montagekonzept. Sie sorgten fortan selbst dafür, dass diese Anlagen störungsfrei liefen und entsprechende Wartung erhielten. Hier sehe ich auch den großen Vorteil von KVP und Ideen-Management. Es ist hervorragend dazu geeignet, die Mitarbeiter mit einzubinden und dazu zu motivieren, dass sie sich mit ihrem Arbeitsumfeld und dem Unternehmen identifizieren.

Es birgt allerdings auch ein hohes Frustrationspotenzial, wenn hier falsch oder nachlässig mit umgegangen wird.

In vielen Fällen ist nicht das Wissen über das Thema Lean der Grund für eine gescheiterte Einführung von Lean Production / Management, sondern die Tatsache, dass es an der Umsetzungskompetenz durch mangelnde Erfahrung fehlt.

Mitarbeiter erhalten bei renommierten Anbietern umfangreiche Lean-Schulungen. Das theoretische Wissen wird auf diese Weise vermittelt und ist folglich vorhanden, aber bei der Umsetzung herrscht dann eher Ratlosigkeit und Ansätze fehlen. Betrachtet man die oben genannten Aspekte, ist dies nicht weiter verwunderlich. Aus diesem Grund dürfte ohne jegliche Erfahrung in der Umsetzung von Lean dieses Vorhaben stets zum Scheitern verurteilt sein.

In so einem Fall ist es daher immer empfehlenswert, sich Mitarbeiter mit entsprechendem Erfahrungshintergrund an Bord zu holen oder die Unterstützung eines externen Umsetzers in Betracht zu ziehen.

Bei der Einführung eines Lean-Konzeptes stellt sich stets die Frage, auf welche Art und Weise dies geschehen soll. Aus meiner Sicht gibt es zwei hervorstechende Möglichkeiten, die sehr unterschiedlich sind und unterschiedliche Philosophien verfolgen, aber beide ihre Berechtigung haben.

Auf der einen Seite kann dies mit umfangreichen Kapazitäten und finanziellen Ressourcen geschehen, indem ein großangelegtes Konzept erstellt und unter massiver externer Unterstützung eingeführt wird, oder es kann in kleinen nachhaltigen Schritten geschehen und auf diese Art und Weise nach und nach wachsen, bis sich Lean durch alle Bereiche zieht und verinnerlicht wurde. In jedem Fall ist die frühzeitige Einbindung der Mitarbeiter und der Arbeitnehmervertreter unerlässlich, genauso wie die uneingeschränkte Unterstützung durch das Top-Management.

Der zweite Weg ist deutlich ressourcensparender und vermeidet Überforderung bei den Mitarbeitern und der Organisation. Die Mitarbeiter haben mehr Zeit, sich mit dem Thema auseinanderzusetzen und an die Veränderung zu gewöhnen.

Trotz der Tatsache, dass Lean ein ganzheitliches Konzept ist, wird eine Keimzelle benötigt, von der aus die einzelnen Bausteine eingeführt und verbreitet werden. Schon aus dem Grund, da jedes Unternehmen mit seinen Fertigungsverfahren und Produkten eigene Besonderheiten aufweist, an die das „allgemeingültige" Lean-Konzept angepasst werden muss. Von den Pilotlinien, die auch zur Erkenntnisgewinnung und zum Schaffen von Akzeptanz dienen, kann anschließend ein ausgereiftes Konzept auf die anderen Produktionsbereiche ausgedehnt werden. Hier sind besonders wieder das Shopfloor Management und die Einführung von 5S, TPM und KVP geeignet, um das Verständnis für das Thema zu erzeugen und den Einstieg zu bekommen. Speziell Shopfloor Management bildet wieder die Plattform für den gegenseitigen Austausch zwischen Führungsteam und Mitarbeiter. An dieser Stelle noch einmal der Hinweise auf den Zusammenhang, dass es sich nicht um eine Einbahnstraße handelt, bei der die Informationen an die Mitarbeiter weitergegeben werden, sondern auch eine Möglichkeit für die Mitarbeiter darstellt, ihre Anliegen vorzubringen. Eine offene Kommunikation ist unerlässlich. Gerade Ideen, Vorschläge, aber auch Nöte in Bezug auf das Arbeitsumfeld, die bis dahin kein Gehör fanden, sind hier besonders relevant. Wie schon mehrfach erwähnt, ändern sich Rahmenbedingungen ständig und mit ihnen auch die Bewertungen von Ansätzen. Dazu ist es erforderlich, die „Schatzkiste" der Mitarbeiter wieder zu öffnen, obwohl ihnen das vielleicht in den Jahren zuvor versagt wurde. Viele große Probleme lassen sich oft durch kleine Maßnahmen schnell beheben. Immer wieder habe ich diese Erfahrung bei meinen Rundgängen in der Produktion oder auch in anderen Bereichen gemacht. Jedes Mal war ich aufs Neue beeindruckt, wie dieses so oft vernachlässigte Vorgehen effektive Wirkung zeigt. Die Lean-Philosophie nennt das Gemba und meint damit, was eigentlich selbstverständlich ist, an den Ort des Geschehens zu gehen und mit Betroffenen zu sprechen. So lassen sich Betroffene zu Beteiligten machen, die Verantwortung übernehmen. Zusätzlich wird wieder Vertrauen geschaffen, was die Mitarbeiter ermutigt, Missstände oder Verbesserungspotenziale aktiv anzusprechen.

Als besonders positiv empfand ich es stets, wenn Mitarbeiter zu mir ins Büro kamen und um ein Gespräch baten. Es ging ihnen in den meisten Fällen darum, ein Anliegen vorzubringen, das letztendlich eher im Interesse des Unternehmens sein sollte als das der Mitarbeiter. Nicht selten betraf es die Arbeitssicherheit oder Themen, die Schaden vom Unternehmen abwendeten. Zwar ist jeder Mitarbeiter auch für die Arbeitssicherheit verantwortlich und sollte Interesse am Unternehmen haben, dennoch ging dies meist über das hinaus, was von ihnen erwartet werden konnte oder was den von ihnen verantworteten Arbeitsbereich betraf.

In der Arbeits- und Organisationspsychologie wird dieses Verhalten beispielsweise mit dem sogenannten „Organizational Citizenship Behavior"-Konzept (OCB) nach Smith, Organ & Near (1983) beschrieben. Mitarbeiter gehen demnach mit ihrem

Engagement deutlich über die vertraglichen Vereinbarungen hinaus, was maßgeblich dem Unternehmenserfolg zugutekommt *(Friedemann W. Nerdinger, Gerhard Blickle, Niclas Schaper, 2008, 2011, 2014, 2018)*. Es ist ein starkes Maß für die Loyalität und für die Übernahme von Verantwortung durch den Mitarbeiter. Die damit einhergehende Komplexität ließe sich nicht vertraglich festhalten bzw. vereinbaren. Es muss wohl nicht dargestellt werden, wie wichtig diese Mitarbeiter für ein Unternehmen sind im Gegensatz zum bekannten „Dienst nach Vorschrift".

Lean Management geht aus meiner Sicht damit weit über den zunächst sichtbaren Teil der Managementtools hinaus. Der Mensch als einzelner und im Team nimmt einen wesentlichen Stellenwert bei der Umsetzung und dem gewünschten Erfolg ein.

Die Zusammenhänge von Wahrnehmung, Verhalten und die daraus resultierenden Reaktionen sowie Interaktionen gilt es, zu verstehen und zu berücksichtigen.

Da Lean Management nicht im Mittelpunkt dieses Buchs steht, möchte ich das Thema an dieser Stelle nicht weiter vertiefen, wenngleich ich auch ein Verfechter dieser Managementtools oder besser dieser Management-Philosophie bin.

Im nachfolgenden Kapitel soll allerdings noch auf den Einfluss und die Auswirkungen der Digitalisierung auf das Lean Management eingegangen werden.

9.2 Wird Lean durch die Digitalisierung überflüssig?

Digitalisierung ist in aller Munde und die Corona-Krise hat diesen Prozess deutlich beschleunigt. Zuerst hieß es im produzierenden Gewerbe Industrie 4.0 und später wurde vom Agilen Management gesprochen. Ungeachtet dessen, wie wir es morgen nennen werden, wird sich vieles auch unter neuen Namen oder leicht abgewandelt wiederfinden, was bereits schon vor vielen Jahren Anwendung fand.

Um es vorweg zu nehmen, die Digitalisierung wird Lean nicht ablösen, aber verändern. Sie bietet eine Erweiterung der bislang vorhandenen Möglichkeiten und ist somit als Ergänzung anzusehen, die mit Lean Management eine Symbiose eingeht.

Technisch ist schon heute viel möglich, die Herausforderung bestehen darin, dass die Mitarbeiter mit dem Tempo der Veränderungen, welche die Digitalisierung mit sich bringt, Schritt halten können. Daher wird eine weitere Disziplin zunehmend an Bedeutung gewinnen, die Einbindung wirtschaftspsychologischer Erkenntnisse oder genauer Erkenntnisse aus der Arbeits- und Organisationspsychologie. Nicht nur deshalb nimmt dieser Aspekt einen wesentlichen Teil in diesem Buch ein.

Eigentlich fängt es schon mit der Definition des Begriffs Digitalisierung an. Was versteht man unter Digitalisierung? Was sind digitale Kompetenzen? Wo fangen sie an und wo hören sie auf?

Wahrscheinlich gibt es keine eindeutige Antwort auf diese Frage und deshalb muss auch hier aufmerksam vorgegangen werden, damit die sogenannte Digitalisierung nicht zum Selbstzweck und zum Schlagwort verkommt. Sicher ist allerdings, dass wir uns in einem tiefgreifenden Wandel befinden, was viele Tätigkeitsfelder grundlegend verändert. Wie in der Landwirtschaft die körperliche Arbeit durch einige wenige Maschinen und in der Industrie viele manuelle Tätigkeiten durch Automatisierung ersetzt wurden, übernehmen heute immer mehr Algorithmen oder künstliche Intelligenz kognitive Aufgaben. Sie erobern bereits selbst Bereiche, die bislang kaum vorstellbar waren, wie die Tätigkeitsfelder von Steuerberatern, Rechtsanwälten und Ingenieuren.

Was bedeutet das nun für das Thema Lean und die Art und Weise, wie zukünftig in der Produktion gearbeitet wird?

Daten können voll automatisch und in Echtzeit erfasst, ausgewertet und visualisiert werden. Bei älteren Anlagen stellt das teilweise noch eine Herausforderung dar, was aber zunehmend an Bedeutung verliert.

Ein wesentlicher Aspekt von Lean war schon immer die Visualisierung und Transparenz. Nicht nur Ergebnisse oder ein Soll-Ist-Abgleich, sondern auch die visuelle Führung von Arbeitsschritten. In diesem Bereich wird die Digitalisierung zunehmend die klassischen Vorgehensweisen von Lean ersetzen. Dennoch werden die Grundprinzipien erhalten bleiben. Auch wenn einfache Tätigkeiten zunehmend qualifizierteren Aufgaben Platz machen, werden die Mitarbeiter weiterhin eine wichtige Rolle für den reibungslosen Ablauf in einem Unternehmen spielen. Solange das der Fall ist, wird die Kommunikation einen hohen Stellenwert behalten und durch die zunehmenden Anforderungen sogar noch an Wichtigkeit gewinnen. Genau hier findet sich der zweite, bereits angeschnittene wichtige Aspekt der Lean-Philosophie, die Kommunikation und Zusammenarbeit. Nur wenn dies gut organisiert ist, können die Koordination und das Zusammenspiel der verschiedenen Disziplinen effektiv funktionieren. Eindeutige sowie unmissverständliche Kommunikation und wirkungsvolle Zusammenarbeit sind die Voraussetzung für gute Ergebnisse.

Daraus ergibt sich die angesprochene Herausforderung, die aus der Digitalisierung resultiert, und damit die Bedeutung von psychologischen Erkenntnissen und Kompetenzen, um den bevorstehenden Transformationsprozess zu bewältigen.

Je stärker Mitarbeiter in Veränderungsprozesse in der Vergangenheit schon eingebunden waren und je mehr eigenverantwortlich mit entsprechenden Gestaltungsspielraum sie ihre Arbeit bewältigen konnten und je stärker sie sich durch ihre Führungskräfte unterstützt fühlen, desto eher werden sie sich auf die Veränderungen, welche die Digitalisierung mit sich bringt, einlassen können.

Lean Management bleibt weiterhin ein zentrales Managementtool, das ein digitales Gesicht erhält. Algorithmen übernehmen wichtige Funktionen und erweitern das aktuelle Spektrum, da Muster und Handlungsoptionen schneller sichtbar werden. Psychologische Hintergründe sind nicht nur für die zwischenmenschlichen Prozesse wichtig, sondern auch für die Entwicklung von künstlicher Intelligenz für die Produktion und den Unternehmensalltag, damit die Maschine-Mensch-Schnittstelle funktionieren kann. Auf der einen Seite ergeben sich zahlreiche neue Möglichkeiten und auf der anderen Seite steigen die Anforderungen an die beteiligten Personen. Gerade diese neuen Herausforderungen an die menschliche Anpassungsfähigkeit werden das zukünftige Lean Management prägen. Trotz der zusätzlichen Möglichkeiten durch die Digitalisierung muss der Anspruch, Lean auch in Zukunft schlank zu gestalten, weiterhin Bestand haben.

9.3 Mein Verständnis als Interim Manager von Mitarbeiterführung

Meine Aufgabe bei der Tätigkeit als Interim Manager sehe ich stets darin, die Mitarbeiter und Teams erfolgreich zu machen, indem ich sie stärke, fördere und vorhandene Blockaden löse sowie ihre Motivation positiv beeinflusse. Dabei ist zunächst die Frage zu stellen: Was blockiert Mitarbeiter? Wie können Ängste und Befürchtungen abgebaut werden und stattdessen Vertrauen und Selbstwirksamkeit aufgebaut? Wie kann die Handlungsfähigkeit hergestellt werden, die es ihnen ermöglicht, ihr Potenzial voll auszuschöpfen? Dabei spielen der Aufbau und die Entwicklung eines effektiven Teams eine wichtige Rolle, ähnlich wie es bei einem Fußballtrainer der Fall ist, der die Mannschaft aufstellt.

9.3.1 Blockaden erkennen, lösen und Handlungsfähigkeit herstellen!

Wer im Unternehmen etwas verändern möchte, muss die Ziele im Blick behalten und konsequent verfolgen. Wo soll das Unternehmen in X Monaten, Jahren, usw. stehen und womit, auf welche Weise und mit wem soll das erreicht werden? Wenn nicht bekannt ist, wo das Unternehmen steht und warum das so ist, wird viel Zeit und Energie verloren gehen. Daher ist es erforderlich, sich auch mit der

Vergangenheit bzw. der Historie eines Unternehmens und die der Mitarbeiter, die das Unternehmen zu dem gemacht haben, was es ist, auseinanderzusetzen. Aber nicht nur die wichtigen Informationen, die bei dieser Vorgehensweise gewonnen werden, stellen einen wesentlichen Aspekt dar, sondern auch die daraus resultierende Wertschätzung gegenüber den Mitarbeitern. Diese Wertschätzung zeigt ein offenes Interesse an den Mitarbeitern und ebnet den Weg für Veränderungen. Niemand kann ernsthaft die Meinung vertreten, wenn die Belange des Mitarbeiters nicht gehört werden, dass der Mitarbeiter sich für die Anliegen des Unternehmens öffnet. D. h., nicht-gehörte Mitarbeiter werden damit beschäftig sein, ihre Existenz zu sichern und ihre Nöte zu beheben. Wie schon beim psychologischen Vertrag dargestellt, erwartet ein Mitarbeiter die Einhaltung dieser nicht ausgesprochenen Vereinbarungen.

Die Folge wäre, dass Veränderungsprozesse nur schleppend vorangehen oder sogar vollkommen scheitern.

Die Vorgehensweise sollte also sein, sich durch Gespräche, die durch „aktives Zuhören" geprägt sind, einen guten Überblick zu verschaffen.

Idealerweise enden diese Gespräche mit einem Ausblick für die Mitarbeiter und einer gemeinsamen Vereinbarung, die die Zusammenarbeit regelt und damit aktiv Einfluss auf den psychologischen Vertrag nimmt. Im Gegensatz zu der Aussage „Die Vergangenheit interessiert nicht, wir gucken nur nach vorne." lässt sich so tatsächlich der Weg nach vorne sicherstellen.

Ein unterstützender und vertrauensbildender Führungsstil ist der erste wesentliche Schritt, um Blockaden zu eliminieren und Handlungsfähigkeit herzustellen. In der Praxis erfordert diese anspruchsvolle Herausforderung viel Erfahrung und Fingerspitzengefühl sowie die Bereitschaft, die Mühe auf sich zu nehmen, sich auf die Mitarbeiter in der vollen Komplexität einzustellen.

9.3.2 Mitarbeitern die richtige Beachtung schenken!

Was wie selbstverständlich funktioniert, wird für gewöhnlich nicht wahrgenommen. Nur wenn es nicht mehr reibungslos die gewünschten Resultate liefert, rückt es in den Fokus der Aufmerksamkeit. Auf die Mitarbeiter übertragen verhält es sich ähnlich. Neben den Mitarbeitern, welche die Führungskraft besonders unterstützen oder zu unterstützen scheinen, ist eine Führungskraft gewöhnlich besonders viel mit den Mitarbeitern beschäftigt, die in irgendeiner Form nicht das gewünschte Verhalten oder Ergebnis abliefern. Der Aufwand hierfür kann ganz erheblichen Umfang einnehmen und bindet wichtige Ressourcen, die für das Fortkommen und den Erhalt des Unternehmens entfallen. Besonders tragisch dabei ist, dass Mitarbeiter, die eher leise auftreten und im Stillen beständig gute Leistungen erbringen, nicht ausreichend Beachtung finden. Oft kommt es noch schlimmer und diese Mitarbeiter stehen in der Gunst sogar schlechter da, weil sie wenig Werbung für sich und ihre Leistungen machen. Sie sind meist introvertiert und es liegt ihnen nicht, sich in den Vordergrund zu drängen. Sie fühlen sich im Rampenlicht eher unwohl, obwohl es gerade sie sind, die für ein Unternehmen einen wesentlichen und entscheidenden Beitrag leisten.

Wer dem Thema Mitarbeiterführung einen entsprechenden Stellenwert einräumt, kann sich später viel Aufwand und Unannehmlichkeiten ersparen. Auch hier gilt, je später die Notwendigkeit zum Handeln erkannt wird, desto mehr Aufwand bedeutet es anschließend.

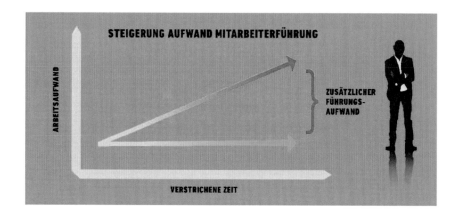

STEIGERUNG AUFWAND MITARBEITERFÜHRUNG

ARBEITSAUFWAND

ZUSÄTZLICHER
FÜHRUNGS-
AUFWAND

VERSTRICHENE ZEIT

Es wird viel geschrieben und auch viel gesagt zum kooperativen Führungsstil. Nur führt das Wissen wirklich auch zum entsprechenden Handeln?

Und dann gibt es noch jene, die der Meinung sind: „Eine richtige Ansage, dann läuft es schon. Das hat noch niemandem geschadet." Das führt natürlich lediglich zu einem fragwürdigen und scheinbaren Erfolg. Nachhaltig ist dieses Vorgehen sicher nicht. Führungskräfte, die nach wie vor so agieren, haben aus meiner Sicht immer noch nicht die Zeichen der Zeit erkannt und was wirklich hinter dem kooperativen Führen oder inzwischen auch agilen Führen steht bzw. welcher Nutzen davon ausgeht. Für sie scheint kooperative Führung gleichbedeutend mit „Kuschelkurs" und es allen recht machen zu wollen. Das Gegenteil ist der Fall, wer versucht es, allen recht zu machen, wird genauso wenig den Respekt der Mitarbeiter erhalten und nachhaltigen Erfolg nicht erreichen wie derjenige, der autoritär vorgeht. Hier wird allenfalls Angst ausgelöst. Respekt hingegen wird durch wertschätzendes, konsequentes und authentisches Handeln erzeugt. Auch das Eingestehen von Fehlern zeigt Stärke und Größe. Eine Führungskraft, die dazu nicht fähig ist, offenbart den Mitarbeitern ihre wahren Schwächen. Der Vorgesetzte behält dann zwar noch seine Macht, aber verliert seinen Einfluss. Den benötigt er aber, damit ihm die Mitarbeiter folgen können. Ein effektives Team bleibt einer Führungskraft durch autoritäres Gehabe verwehrt.

Heute kann sich jeder in wenigen Minuten über jedes Thema informieren bzw. austauschen. Mitarbeiter bleiben auch nach einem Unternehmenswechsel in Kontakt. Employer Branding ist schon lange kein reines Schlagwort mehr. Anders Parment beschreibt bereits 2009 in seinem Buch „Die Generation Y – Mitarbeiter der Zukunft" die Bedeutung, die Employer Branding für Unternehmen aufweist. Inzwischen hat sich herausgestellt, dass sich nicht nur bei der Generation Y die Sicht auf das Berufsleben geändert hat. Auch alle anderen Generationen, wie beispielsweise die Babyboomer, sehen das inzwischen ähnlich. Es geht immer weniger um Status und Einkommen, dafür immer stärker um Selbstverwirklichung und Möglichkeiten, sich weiterzuentwickeln. Handlungsspielraum, Selbstbestimmtheit, konstruktives Feedback und wertschätzender Umgang sind unumgänglich. Hierarchien und Anweisungen verlieren an Bedeutung und sind immer weniger gefragt. Stattdessen werden Feedback, Transparenz und klare Konzepte gefordert. Autoritäten verlieren an Akzeptanz. Fehlende Wertschätzung führt zu Fluktuation. Auch wenn dieser Fluktuationswert seit Jahren von den Unternehmen in ihre Betrachtungen einbezogen wird, werden meist lediglich quantitative Kennzahlen betrachtet. Die qualitative Aussage bleibt dabei oft außen vor.

Die quantitative Betrachtung vermittelt zwar, wie hoch die Wechselrate ist, aber die Qualifikation und der Mehrwert, den diese verlorengegangenen Mitarbeiter dem Unternehmen bieten könnten, spiegelt diese Zahl nicht wider. Meist verlassen das Unternehmen die Mitarbeiter, die eine höhere Qualifikation aufweisen, und diejenigen, denen sich eher Chancen auf eine Karriere in einem anderen Unternehmen bieten. Damit gehen dem Unternehmen wichtige Leistungsträger verloren.

Die Führungskräfte sind unweigerlich das Aushängeschild für ihr Unternehmen und Hauptschnittstellen zu potenziellen Mitarbeitern.

In den Sozialen Medien kann jeder seine Meinung und Empfindungen kundtun und so einen nicht unerheblichen Einfluss geltend machen. Als es noch einen Arbeitgebermarkt gab, mag diese Art der autoritären Führung noch in Grenzen funktioniert haben; heute kommen selbst große Konzerne schnell in Bedrängnis, wenn sie wichtige soziale Grundsätze nicht berücksichtigen. Selbst Investoren drängen inzwischen Firmen zum nachhaltigen und umweltbewussten Handeln, da sie sonst ihre Investitionsprodukte nicht mehr verkaufen können. Unternehmen, die nur auf Profit und Marge fokussiert sind, fallen vermehrt hinten runter.

Aber nun zurück zum kooperativen Führungsstil und dessen ganzer Tragweite, der nicht nur genau an dieser Stelle eine wesentliche Rolle spielt.

Viele Führungskräfte stehen unter erheblichem Druck, da sie stets gute Ergebnisse liefern müssen. Kennzahlen geben zunehmend mit hoher Transparenz und ohne Zeitverzögerung Auskunft darüber, wie die Ergebnisse aussehen. Da passiert es schnell, dass die Belange der Mitarbeiter ausgeblendet werden und nicht die nötige Beachtung finden. Mitarbeiter werden mit ihren Problemen alleine gelassen, was dazu führt, dass die Unterstützung für die Führungskraft sinkt und die Mitarbeiter mit der Lösung ihrer eigenen Anliegen beschäftigt sind. Das bleibt nicht ohne Konsequenzen und geht zu Lasten der Lösungsfindung sowie der Aufgabenerfüllung. Ein Mitarbeiter kann so nicht offen für die Belange der Führungskraft sein. Erst wenn die Führungskraft es schafft, sich trotz hohem Leistungsdruck für den Mitarbeiter zu öffnen, wird auch sie auf Gehör beim Mitarbeiter treffen.

Allerdings ist dabei einiges zu beachten. Es reicht nicht aus, sich halbherzig die Zeit für einen Mitarbeiter zu nehmen, sondern es ist ein aufrichtiges Interesse erforderlich. Ein grundsätzliches Interesse an Menschen dürfte dabei sehr hilfreich sein.

9.3.3 Das Mittel der Wahl ist „aktives Zuhören"

Eine der wesentlichsten Kompetenzen einer Führungskraft und damit auch die des Interim Managers sollte die Fähigkeit des „aktiven Zuhörens" sein. Dabei handelt es sich keineswegs um einen passiven Vorgang. Christian-Rainer Weisbach und Petra Sonne-Neubacher (2013) beschreiben in ihrem Buch *„Professionelle Gesprächsführung"* auf besonders anschauliche Weise, worauf beim „aktiven Zuhören" zu achten ist und wie es gelingen kann. Nur wer sich zunächst die eigene Gesprächshaltung klar macht, ist auch bereit, „aktives Zuhören" zu nutzen.

In der eigenen Praxis konnte ich immer wieder erfahren, wie erstaunlich effektiv die Wirkung ist, die vom „aktiven Zuhören" ausgeht. Es schafft wichtiges Vertrauen und die Basis für eine gute Zusammenarbeit. Das Wiederholen des Gehörten mit den eigenen Worten dient nicht nur der aktiven Verarbeitung des vom Mitarbeiter Gesagten, sondern verhindert auch Missverständnisse, die später häufig zu gravierendem Mistrauen und Problemen führen können. Umgekehrt macht es auch stets Sinn, den Mitarbeiter mit eigenen Worten wiedergeben zu lassen, was er verstanden hat. So lassen sich Lücken und eben auch Missverständnisse aufspüren, bevor sie Schaden anrichten können. Es dient weniger der Kontrolle als mehr dem gemeinsamen Verständnis. Schnell wird diese Vorgehensweise auch dazu führen, dass der Mitarbeiter aufmerksamer zuhört, da er sich auf das Nachfragen einstellt.

Christian-Rainer Weisbach und Petra Sonne-Neubacher (2013) streben mit ihrem Konzept der Kommunikation stets die positive Entwicklung der zwischenmenschlichen Beziehung an und damit eine Win-Win-Situation. Es wird vollständig auf sogenannte Judo-Techniken verzichtet, die darauf abzielen, als „Sieger" aus einem Gespräch hervorzugehen. Es geht immer um ein Miteinander und nicht um ein Gegeneinander. Ein vermeintlicher „Sieg" führt stets zu „offenen Rechnungen". Der Unterlegene wird keine Gelegenheit ungenutzt lassen, diese auszugleichen. Abgesehen davon, dass ein zunächst errungener Sieg so schnell zu einer schmerzhaften Niederlage werden kann, werden Ressourcen verschwendet, die dem Unternehmen im Wettbewerb mit Markbegleitern fehlen.

9.3.4 Ziele effektiv nutzen

Ziele sind unbestritten eines der wichtigsten Führungsinstrumente, ob sie nun mit monetären Anreizen verknüpft sind oder nicht. Neben den oft zitierten Anforderungen an realistischer Erreichbarkeit, anspruchsvoll und Messbarkeit, gibt es noch eine Reihe weiterer wichtiger Aspekte, die bei der Zielvereinbarung berücksichtigt werden müssen.

Es gibt Spezialisten, die sich seit vielen Jahren damit auseinandersetzen und alleine mit diesem Thema Bücher füllen. Hier möchte ich lediglich auf die mir wichtigen Punkte eingehen und überlasse die Vollständigkeit den genannten Fachleuten auf diesem Gebiet.

Dass Ziele mit dem Mitarbeiter gemeinsam festgelegt werden sollten, um die Akzeptanz zu erhöhen, dürfte inzwischen bekannt sein. Damit Ziele nicht das Gegenteil von dem bewirken, was sie sollen, muss sorgsam mit ihnen umgegangen werden. Die Rahmenbedingungen, die vom Mitarbeiter häufig nur bedingt beeinflusst werden können, haben oft einen großen Anteil an der Zielerreichung. Zum Beispiel konnten Vertriebsmitarbeiter ihre Zielvorgaben in der Corona-Krise und dem daraus folgenden Lockdown mit Sicherheit nicht erreichen, wenn für ihre Produkt der Absatzmarkt vollkommen eingebrochen war. Zugegeben, es handelt sich um ein Extrembeispiel; zum Verdeutlichen ist es aber allemal geeignet. Da Ergebnisse zunehmend Teamleistungen sind, muss auch diesem Umstand Rechnung getragen werden. Individuelle Ziele müssen von gemeinsamen getrennt betrachtet werden, aber möglichst der Gesamtbetrachtung dienlich sein.

Zu stark isolierte Ziele führen zur Vernachlässigung der Gesamtsicht und bringen den Mitarbeiter in ein Dilemma. Abläufe sind komplex und lassen sich meist nicht vollumfänglich schriftlich festhalten. Sie werden damit der Praxis vielfach nicht gerecht. Der Umgang der jeweiligen Mitarbeiter mit diesem Sachverhalt unterscheidet sich stark. Einige riskieren ihre Bonuszahlung und arbeiten weiter am Gesamtergebnis, andere lassen dieses außer Acht und streben nur nach ihrer eigenen Zielerreichung. In jedem Fall wird die eigenverantwortliche Arbeitsweise gestört bzw. behindert. Wer eigenverantwortlich arbeitet, weiß, was getan werden muss, oder wird einen Lösungsweg finden, um Ziele zu erreichen.

Es besteht die Gefahr, die bereits oben beschrieben wurde, dass Mitarbeiter für den Bonus arbeiten und nicht an der Sache. Ziele können deshalb durchaus kontraproduktiv sein.

Dennoch kann ein Unternehmen auf Zielvereinbarungen nicht gänzlich verzichten. Nur so kann eine Bündelung der Kräfte sichergestellt werden. Wie das Zusammenspiel dieser Kräfte letztendlich wirkt und wie effektiv sie sind, legt die Art und Weise, wie die Ziele gestaltet wurden und wie mit den Ergebnissen umgegangen wird, fest.

9.3.5 Feedback, aber richtig!

Feedback wird in keinem Fachbuch, welches das Thema Mitarbeiterführung behandelt, ausgelassen. Alleine hiermit ließen sich wieder Bücher füllen. Es besteht ein allgemeiner Konsens über die Notwendigkeit von Feedback. Dennoch kommt das richtige Feedback in der Praxis oft zu kurz. Auch hier wird ein einmal erstelltes Konzept der Praxis nicht gerecht. Mitarbeiter haben sehr individuelle Vorstellungen, wie das Feedback an sie aussehen sollte. Die beschriebene Generation Y bevorzugt in der Regel beispielsweise engmaschiges Feedback, das ihr Rückmeldung für ihre persönliche und berufliche Entwicklung gibt. Arbeitnehmer, die bereits länger im Berufsleben stehen und sich evtl. bereits kurz vor dem Ende ihres Berufslebens befinden, wollen eher weniger Feedback und bevorzugen es, tendenziell unbehelligt zu bleiben.

Dann gibt es noch die Art und Weise, wie Feedback gegeben wird und mit welcher Intension. Einige Führungskräfte geben nach wie vor nur Feedback als Kritik, bei dem sie ihrem Ärger Luft machen. Andere sehen darin ein wichtiges Managementtool zur Weiterentwicklung ihrer Mitarbeiter, was es auch sein sollte.

Nicht zu vergessen ist die Führungskraft an sich. Feedback sollte möglichst objektiv sein und unterstützend wirken. Objektiv kann es allerdings niemals ganz sein. Es gibt wahrscheinlich so viele Meinungen, oder besser Einschätzungen, wie es Führungskräfte gibt. Einmal abgesehen von Fakten wie Kennzahlen dürfte jede dieser Einschätzung stark durch die Führungskraft und deren Einstellungen sowie Hintergründe geprägt sein. Das wissen die Mitarbeiter explizit oder es ist ihnen zumindest implizit und unbewusst klar. So hat ein Mitarbeiter schnell den Eindruck oder das Gefühl, nicht richtig verstanden bzw. falsch bewertet worden zu sein. Und ganz falsch liegt er aufgrund der Subjektivität damit nicht!

Oft erhalten Mitarbeiter bei einem Wechsel ihrer Vorgesetzten völlig gegensätzliches Feedback, was sie in dieser Meinung bestärkt.

Wichtig ist also in diesem Zusammenhang, niemals absolute Aussagen zu tätigen und stattdessen seine Beobachtungen und Einschätzungen anzusprechen. Dem Mitarbeiter sollte durchaus auch die Subjektivität und damit die Schwäche dieser Einschätzung eingestanden werden. Im Gegensatz dazu steht aber auch die klare Botschaft, dass dies die Grundlage für die Erwartungen an den Mitarbeiter und für die Zusammenarbeit darstellt. Soweit arbeitsrechtliche Konsequenzen erforderlich werden, ist dies natürlich nicht ausreichend, was allerdings auch nicht Bestandteil eines Feedbackgespräches sein darf.

Unabhängig davon, ob ein Feedback positiv oder negativ ausfällt, muss es immer wertschätzend und konstruktiv gestaltet werden, d. h., es muss auf die Unterstützung des Mitarbeiters aus sein und zum Ziel haben, den betrieblichen Ablauf sowie die Leistungsfähigkeit sicherzustellen.

Es hat sich herausgestellt, dass es für die Akzeptanz des Mitarbeiters besonders hilfreich ist, wenn zu Beginn und auch bei der anschließenden Zusammenfassung des Gesprächs dem Mitarbeiter deutlich gemacht wird, dass es sich um die individuelle Sicht der Führungskraft handelt und folglich andere Ansichten nicht auszuschließen sind. Andere Führungskräfte können dies beispielsweise ganz anders beurteilen. Die eigene Einschätzung stellt dennoch die Basis der aktuellen Zusammenarbeit dar. Kritik des Mitarbeiters an der Führungskraft muss ernst genommen, aber stets in einem separaten Gespräch besprochen werden, was deutlich zu machen ist. Es besteht sonst die Gefahr eines Ablenkungsmanövers durch den Mitarbeiter, das er gezielt als Taktik einsetzen kann, um das Gespräch in eine andere Richtung zu lenken. Die Führungskraft gerät so schnell in die Defensive und kann ihr eigenes Anliegen nicht mehr zielgerichtet platzieren. Auf Dauer gibt eine Führungskraft das Zepter des Handelns so aus der Hand, womit sie ihre Durchsetzungskraft verliert.

Wichtig für ein gutes Feedbackgespräch ist stets auch die emotionale Neutralität der Führungskraft. Hierzu ist es erforderlich, diese auch zu erkennen und ggf. ein anstehendes Gespräch auf einen anderen Termin zu verschieben. Gerade in Stresssituationen kann dieser Aspekt schnell übersehen werden und ein Feedbackgespräch eskaliert, indem es in gegenseitigen Vorwürfen mündet.

Unter normalen Umständen hilft es der Führungskraft, sich die positiven Seiten eines Mitarbeiters zuvor bewusst zu machen. Gerade bei Mitarbeitern, die von der Führungskraft kritisch gesehen werden, ist diese Vorgehensweise sehr sinnvoll.

Hilfreich ist in diesem Zusammenhang auch das Wissen über das endokrine System, das neben unserem Nervensystem eine wichtige Funktion zur Steuerung unserer Körperfunktionen einnimmt. Auch wenn es zunächst sehr abstrakt wirkt, hat es einen direkten Praxisbezug.

Das endokrine System wirkt deutlich langsamer als das Nervensystem, aber eben auch länger. Bei Stress und Anspannung werden entsprechende Stresshormone ausgeschüttet. Diese Hormone, die über einen längeren Zeitraum im Körper verweilen und sich erst langsam abbauen, erhöhen den Herzschlag, verstärken das Schwitzen und die Denkleistung nimmt ab. Dafür wird die Reaktionszeit kürzer. Alles Dinge, die dem Organismus in seinem früheren Evolutionsstadium das Überleben sicherstellen sollten. Den meisten wird dieser Zusammenhang klar sein. Was aber vielleicht nicht jedem bewusst ist, ist, dass sich Reaktionen des Körpers auf unterschiedliche Emotionen überschneiden und sich nicht immer eindeutig zuordnen lassen. Wer also mit diesen Stressreaktionen des Körpers in ein Gespräch geht, bei dem Besonnenheit und ein klarer Kopf gegeben sein müssen, riskiert eine Überlagerung des Stresses mit dem Gespräch und ist deshalb gut beraten, dieses zu verschieben. Interessant ist der Umstand, dass ein gestiegener Puls durchs Treppensteigen den erhöhten Puls während einer Stresssituation aufgrund eines dann höheren Ausgangswerts verstärkt und damit den Stress an sich begünstigt. Es besteht die Gefahr, schneller die Fassung zu verlieren, obwohl die ursprüngliche Pulserhöhung in keinem Zusammenhang mit der darauffolgenden Stresssituation steht. Der Ursprung für den erhöhten Puls ist damit nicht mehr entscheidend *(David G. Myers, 2004, 2008)*.

Für viele Führungskräfte ist oft schon ein anstehendes Mitarbeitergespräch eine Stresssituation, die dadurch noch schwieriger wird.

Kurzes Innehalten und Achtsamkeit sind hier hilfreich und führen zu mehr Gelassenheit für ein unter Umständen anspruchsvolles Mitarbeitergespräch. Auf die Vorteile von Achtsamkeit wird später noch einmal eingegangen.

9.3.6 Verantwortung statt Schuld!

Wie schon bei den Ausführungen zu Motivation beschrieben, wird Verantwortungsübernahme dadurch erreicht, indem Betroffene zu Beteiligten gemacht werden. Dabei ist der Unterschied zwischen Verantwortung und Schuld zentral wichtig. Wer für etwas verantwortlich ist, wird Wege und Lösungen finden, um Ziele zu realisieren. Wer sich schuldig fühlt, wird versuchen, seine Haut zu retten, und ist mit seinen Gedanken dabei, wie er unbeschadet aus der Situation kommt. In der Konsequenz bedeutet das: Verantwortung aktiviert und Schuld blockiert!

Unabhängig davon, ob ein Mitarbeiter einen Fehler gemacht hat oder nicht, ist es daher sinnvoll, ihm klar zu machen, dass man keine Schuldigen sucht, sondern mit ihm gemeinsam lernen und die Herausforderungen bewältigen möchte. Für die Folgen des Fehlers kann das nun heißen, dass im Team aus Führungskraft und Mitarbeiter, und evtl. weiteren Personen, nach Lösungen zur Behebung gesucht wird. Im besten Fall wird aus dem Fehler eine Verbesserung, da dieser letztendlich eine Schwachstelle des Systems offenbart. Natürlich ist dies nicht als Freifahrtschein für Fehler gemeint, sondern der Umgang mit Fehlern an sich. Fehler sind nie völlig auszuschließen, werden aber als Verbesserungspotenzial gesehen.

Der folgende Zusammenhang kann nicht oft genug betont werden!

Wie schon oben beim Rollenverständnis und extrinsischer Motivation erläutert, erzeugt man Verantwortungsbewusstsein am besten über die Aufgabe bzw. über die gemeinsame Sache oder besser das Ziel. Die Ressourcen jedes einzelnen Mitarbeiters zählen. Durch Druck und Zwang lassen diese sich nicht aktivieren. Der Wille und das Interesse müssen vom Mitarbeiter selbst kommen. Das zu erreichen, ist eine der wesentlichen Führungsaufgaben.

Besonders aufschlussreich ist ein Beispiel, das von Reinhold Messner kommt. Um einst seine legendäre Besteigung des Mount Everest ohne Sauerstoffflaschen zu finanzieren und verwirklichen zu können, verkaufte Reinhold Messner seinen 911er Porsche. Das Tun war ihm wichtiger als das Besitzen und der Status, der sich daraus ableiten ließ. Sein Ziel motivierte ihn so stark, dass er bereit war, hohe Anstrengungen und Risiken in Kauf zu nehmen, um es zu erreichen.

Dieser Zusammenhang ist besonders interessant für den Führungsalltag. Eine Führungskraft sollte sich fragen, was die Mitarbeiter motivieren kann, um die gemeinsamen Ziele zu erreichen. Entscheidend ist, welches Tun und welche Rahmenbedingung dafür erforderlich sind, die Mitarbeiter dazu zu bewegen, ihr Bestes zu geben und sich am Ende dabei wohl und nicht gestresst zu fühlen sowie zufrieden mit ihrer Arbeit und den Ergebnissen zu sein. Das Resultat soll eine Win-Win-Situation für Unternehmen und Mitarbeiter sein.

9.3.7 Die Mitarbeiter erfolgreich machen; das starke Team

Eine Führungskraft, die ihre Mitarbeiter erfolgreich macht, schafft die besten Voraussetzungen, selbst erfolgreich zu sein. Die Annahme, die Führungskraft müsse alles besser können als ihre Mitarbeiter und alles selbst erledigen, ist aus meiner Sicht falsch und schon lange überholt. Der Versuch, dies zu erreichen, ist immer zum Scheitern verurteilt.

Wie schon beim Rollenverständnis dargestellt, sollten die Kompetenzen der Mitarbeiter gefördert und genutzt werden, da die Summe aller Kompetenzen immer größer sein wird als die einer Führungskraft alleine. Eine Führungskraft kann niemals in allen Disziplinen top sein. Die Aussage meinen Mitarbeitern gegenüber war stets: „Viele Schultern tragen mehr als zwei und ich werde nicht versuchen, besser in Ihrem Job zu sein als Sie, da das zum Scheitern verurteilt sein muss." Besser ist es also, jeden einzelnen Mitarbeiter optimal zu fördern und zu unterstützen, damit er seine Aufgabe bestmöglich erfüllen kann. Dieses Vorgehen und das damit verbundene System können beliebig wachsen. Ein System, bei dem alles über den Tisch der Führungskraft laufen muss, ist von deren Kapazitäten stark begrenzt und fehleranfällig. Der Ansatz, die Mitarbeiter zu stärken, erfordert natürlich eine gehörige Portion Vertrauen durch die Führungskraft in ihre Mitarbeiter und in sich selbst. Die Führungskraft als Coach und Mentor. Hierarchien verschwimmen und verlieren an Bedeutung. Die Teamwahrnehmung tritt in den Vordergrund und die Kommunikation findet zunehmend auf Augenhöhe statt. Im Zweifelsfall bleibt die letzte Entscheidung dennoch bei der Führungskraft, die den Mitarbeitern den Rücken freihält und die Verantwortung übernimmt.

9.3.8 Vertrauen als Voraussetzung für Selbstwirksamkeit

Je öfter das Vertrauen bei einer Führungskraft durch einzelne Mitarbeiter enttäuscht wurde, umso schwerer fällt es ihr, zunächst Vertrauen zu den Mitarbeitern aufzubauen. Es gibt aber keine echte Alternative, soweit eine wirkungsvolle Mitarbeiterführung angestrebt wird. Dieser immer wiederkehrende Vertrauensvorschuss an seine Mitarbeiter verlangt von einer Führungskraft viel Disziplin und Ausdauer. Womit nicht gemeint ist, alles zu tolerieren, ganz im Gegenteil. Soweit es zum Ausnutzen dieses Vertrauens kommt, müssen die Reaktionen deutlich und konsequent ausfallen. Eine zweite Chance sollte dennoch immer eingeräumt werden, erst recht, wenn der Mitarbeiter ernsthaft sein Verhalten ändert oder bereit ist, es zu ändern.

Das Vertrauen der Führungskraft in seine Mitarbeiter wirkt sich auf diese und deren Leistungsfähigkeit unmittelbar aus. Nicht ohne Grund werden Vorgesetzte heute Führungskräfte genannt. Wem vertraut wird, dem wird gefolgt, daher ist das Vertrauen in beide Richtung unerlässlich. Ein Vorgesetzter hat Macht, eine Führungskraft hat Einfluss. Ohne Einfluss lässt sich keine Veränderung bewirken. Die vergleichsweise simplen Pole „autoritär" und „es allen recht machen" helfen da nicht weiter. Vertrauen wird durch den Einklang zwischen Worten und Handeln, also Authentizität, Kompetenz, wertschätzenden Umgang, Geradlinigkeit, Verlässlichkeit und konsequentes Handeln bzw. Umsetzen erreicht. Vor allem aber durch das bereits erwähnte „aktive Zuhören". Wer die Anliegen und Reaktionen seiner Mitarbeiter kennt, kann sich besser darauf einstellen. Das gleiche gilt für die Mitarbeiter ihrer Führungskraft gegenüber, was diese Vorgehensweise ermöglicht.

Für beide, Mitarbeiter und Führungskraft, ist das gegenseitige Vertrauen somit sehr wichtig. Mir zeigte das eine Gegebenheit mit meinem Instandhaltungsleiter bei einem Automobilzulieferunternehmen. Wir hatten ein gutes zwischenmenschliches Verhältnis sowie eine gute Zusammenarbeit. Eines Tages rief er mich sehr aufgewühlt an und bat um ein Gespräch mit mir. Ich willigte selbstverständlich ein und so saßen wir bald zusammen, um sein Anliegen zu besprechen. Was er zu mir dann sagte, überraschte mich sehr. In einem unachtsamen Moment hatte ich etwas Unbedachtes zu ihm gesagt, das ich als Spaß gemeint hatte. Das Problem: Er hatte es so gar nicht als Spaß empfunden. Er teilte mir mit, dass er zwei Nächte nicht geschlafen hätte und er völlig fertig sei und wie ich denn so etwas zu ihm sagen konnte. Es war mir unendlich unangenehm, aber ich konnte das Missverständnis unverzüglich aufklären. Zugleich entschuldigte ich mich bei ihm und bedankte mich für seine Courage, mich darauf anzusprechen. Ohne Vertrauen wäre diese Geschichte sicherlich für uns beide nicht so positiv verlaufen. Mein Instandhaltungsleiter hätte mich nicht angesprochen und ich sein daraus folgendes, vermeintlich „merkwürdiges" Verhalten sicher falsch interpretiert. Ich war sehr erleichtert und dankbar, da ich selbst diesen Sachverhalt ohne sein Vertrauen nicht hätte klären können, geschweige denn bemerken.

9.3.9 Achtsamkeit, nützlich oder nur eine Modeerscheinung?

Bei dem Vorgehen der Mitarbeitergespräche habe ich das Thema Achtsamkeit kurz angesprochen. Achtsamkeit hilft, die Sinne zu schärfen und sich auf das Wesentliche zu fokussieren. Es kann zu besseren Entscheidungen beitragen und auf diese Art und Weise auch die von außen kommenden Stressauslöser reduzieren. Inzwischen ist die Achtsamkeitsbewegung schon wieder etwas aus der Mode gekommen. Ständig wird eine neue „Sau" durchs Dorf getrieben und vermarktet. Das führt teilweise dazu, dass diese an sich guten Themen einen Makel erhalten. Ich denke dennoch, dass Achtsamkeit auch gerade für den modernen Manager sehr hilfreich sein kann, und genau deshalb möchte ich an dieser Stelle darauf eingehen. Achtsamkeit ist aus meiner Sicht zeitlos und wird auch über den Hype hinaus Bestand haben. Denn nur wer seine Kräfte und Gesundheit erhält, kann auf Dauer leistungsfähig bleiben. Und nur wer ein gutes Gespür für seine eigenen Grenzen und seine eigene Leistungsfähigkeit hat und damit Überforderung rechtzeitig bemerkt, kann diese auch bei seinen Mitarbeitern erkennen. Wer dies nicht beachtet, arbeitet auf „Kredit", wie ich es immer nenne. Es werden mehr Ressourcen verbraucht, als der Körper und der Geist durch Regeneration wieder aufbauen kann. Anhaltend über einen längeren Zeitraum kann dieser Raubbau zu gefährlichen Auswirkungen wie schweren Krankheiten oder Burnout führen. Bei Stress und besonders bei starkem Stress wird das Immunsystem unverzüglich abgeschaltet. Wenn dies längere Zeit anhält, sind die Tore für Krankheiten offen und der Organismus ist ihnen ausgeliefert.

Besonders auch beim Interim Management, wo es oft eine kritische Ausgangssituation gibt und in kurzer Zeit eine Veränderung herbeigeführt werden muss, kann Achtsamkeit ein hilfreiches Mittel sein.

Aber auch der Begriff Achtsamkeit gibt wieder viel Interpretationsspielraum, deshalb möchte ich mich in diesem Fall auf einen der bekanntesten Vertreter der Achtsamkeitsbewegung konzentrieren, Dr. Jon Kabat-Zinn.

In seinem Buch „*Gesund und Stressfrei durch Meditation*" beschreibt Kabat-Zinn bereits 1990 sein 8-Wochen-Achtsamkeitstraining gegen die meist gesundheitlichen Auswirkungen von negativem Stress, auch Distress genannt. Ein ganzheitliches Programm, das er bereits in den 70er-Jahren konzipiert hat.

Um ein besseres Verständnis für das Thema Achtsamkeit zu bekommen, ist es empfehlenswert, ein Training dieser Art, das inzwischen in vielen Regionen in Deutschland angeboten wird, zu absolvieren. Eine Erfahrung, die ich wärmstens weiterempfehlen kann.

Achtsamkeit stellt nach Kabat-Zinn einen Zustand des Bewusstseins dar, bei dem Emotionen und Ereignisse nicht bewertet werden und die eigenen Gedanken sich auf die Gegenwart konzentrieren. Was sich zunächst trivial anhört, bedarf jahrelanger Übung. Akzeptanz und die Situation nicht verändern zu wollen, sind dabei zentrale Merkmale der Achtsamkeitsphilosophie.

Gerade Bewertungen von subjektiv negativ empfundenen Ereignissen, die stattgefunden haben oder von denen angenommen wird, dass sie stattfinden werden, können Stress auslösen. Das ist besonders dann der Fall, wenn sie als Bedrohung angesehen werden. Dies trifft auf die empfundenen Abweichungen vom Idealzustand, bezogen in geistiger und körperlicher Hinsicht, zu, was kognitive Dissonanz genannt wird. In der Psychologie wird das daraus resultierende Streben nach dem Gleichgewicht als Homöostase bezeichnet *(David G. Myers, 2004, 2008)*. Die Achtsamkeitsphilosophie widerspricht also den natürlichen Reflexen bei unangenehm wahrgenommenen Ereignissen und Situationen, dieses Gleichgewicht unverzüglich wieder herstellen zu wollen.

Auf einen Arbeitsalltag bezogen bedeutet das, die ständig auftretenden Herausforderungen und die in diesem Zusammenhang u. U. verbundenen negativen Gefühle werden im Sinne der Homöostase versucht, auszugleichen. Nicht immer gelingt das und gerade bei fehlender Selbstwirksamkeit, also wenn der Versuch, eine entsprechende Veränderung zu bewirken, fehlschlägt, werden Stress und Unbehagen ausgelöst *(Friedemann W. Nerdinger, Gerhard Blickle, Niclas Schaper, 2008, 2011, 2014, 2018)*.

Menschen, die gewohnt sind, ihre Geschicke selbst zu steuern, sind besonders davon betroffen. Sie sind häufig der Ansicht, sie müssen sich nur genug anstrengen, dann können sie alles erreichen. Dieser Eindruck ist trügerisch. Generell halte ich diese Lebenseinstellung für gut und richtig, dennoch darf nicht außer Acht gelassen werden, dass es immer wieder zu Situationen kommt, bei denen diese Bewältigungsstrategie nicht zielführend ist und dann besonders hohen Stress auslöst.

Trotz aller Selbstwirksamkeit muss uns bewusst sein, dass auch ein Mensch, der scheinbar alles im Griff hat, in vielen Situationen dem Schicksal machtlos ausgeliefert ist. Ich halte es für naiv, zu glauben, dass es nicht so wäre.

Der Zusammenhang von solchen nicht kontrollierbaren Ereignissen oder Vorgängen und Achtsamkeit soll deutlich machen, wie sinnvoll Achtsamkeit mit dem Grundsatz der Akzeptanz sein kann. Sicherlich sind nicht alle unangenehmen Ereignisse eine existenzielle Bedrohung, aber auch im Kleinen gibt es immer wieder Abweichungen von unseren Vorstellungen und Erwartungen, die wir nicht beeinflussen können, so sehr wir uns auch anstrengen mögen. Natürlich erfordert es etwas Geschick, nicht veränderbare Sachverhalte von denen, die sehr wohl beeinflussbar sind, zu unterscheiden.

Das Verständnis von Achtsamkeit kann helfen, hohe Belastungen gelassener zu meistern und Stress zu reduzieren, damit wir handlungsfähig bleiben, und so die Klarheit, die für unsere Entscheidungen erforderlich ist, zu behalten. Es unterstützt den Interim Manager und die Führungskraft dabei, den richtigen Umgang mit den Mitarbeitern auch in schwierigen Situationen sicherstellen zu können.

Dass das kein Selbstläufer ist, können Sie sich sicherlich denken. Achtsamkeit muss immer wieder ins Bewusstsein gebracht und somit ständig praktiziert werden, damit sich ihre positive Wirkung entfalten kann. Die Achtsamkeit lebt von der Achtsamkeit.

9.3.10 „FuckUp", was hat das mit Interim Management zu tun?

Es ist noch nicht sehr lange her, als ich das erste Mal den Begriff „FuckUp" hörte und mich wunderte. Ein klein wenig unanständig, wie ich fand. Nun ja, bald wurde ich eines Besseren belehrt. 2018 war Bert Overlack als Redner beim Turnaround-Kongress in Köln und trug seinen Beitrag vor. Da war es, das Wort „FuckUp". Es ging um das Scheitern und den Wiederaufstieg, um den Erfolg, der daraus resultieren kann. „Fuckup" bedeutet somit in diesem Zusammenhang das individuelle Scheitern mit einer persönlichen Geschichte dahinter. Wie ich auch erfahren konnte, werden nicht nur deutschlandweit sogenannte FuckUp-Nights durchgeführt, bei denen sich Menschen zusammenfinden und sich von ihrem Scheitern berichten, um daraus zu lernen und sich gegenseitig zu unterstützen. Aber nicht nur das Lernen an sich ist dabei von Bedeutung, sondern die zunächst erforderliche aktive Verarbeitung des Scheiterns, um anschließend wieder offen für neue Erfolge zu sein.

Bert Overlack (2019) beschreibt in seinem gleichnamigen Buch den Niedergang seines elterlichen Unternehmens nach der Finanzkrise, welches er ein paar Jahre zuvor übernommen hatte. Zunächst war er sehr erfolgreich und konnte für das Unternehmen Wachstum generieren, bis er und seine Firma hart von der Finanzkrise getroffen wurden. Trotz wirksamer Restrukturierungsmaßnahmen und sich verbessernder Kennzahlen kündigten die Banken die Kredite. Der Kampf gegen die Insolvenz war damit in eine kritische Phase geraten, den er am Ende nicht gewinnen konnte. Obwohl er alle Kraft und Ressourcen in das Überwinden seiner persönlichen Krise investiert hatte, seines ganz persönlichen FuckUps, war es ihm nicht gelungen, die Insolvenz abzuwenden.

Neben dem, was für jedermann von außen sichtbar war, beschreibt Bert Overlack seinen langen und schweren Weg, wie er diese Krise persönlich empfunden und verarbeitet hat. Besonders was Verluste (materiell und ideell), Schuldgefühle, Identitätsverlust und Existenzängste für Wirkungen auf ihn und sein Selbstbild hatten. Wie er es wieder geschafft hat, eine neue Identität zu finden, und somit seine Selbstwirksamkeit zurückerlangt hat. Es geht in seinem Buch weniger darum, seine eigene Geschichte aufzuarbeiten, als aufzuzeigen, wie aus dem Scheitern ein Erfolg werden kann. Besonders der Umgang mit dem Scheitern an sich ist der zentrale Wert dieser Erfahrung und die daraus resultierenden Erkenntnisse, die nur durch die aktive, bewusste Anstrengung ermöglicht werden können. Ein weiterer wichtiger Aspekt ist der Umgang mit dem vermeintlichen Versagen und den Fehlern, die dazu gehörten. Wird dies als Chance für einen Neuanfang begriffen oder führt es dazu, das Versagen zu verallgemeinern und sich als Versager zu betrachten? Das ist sicherlich weit verbreitet und dennoch nicht der richtige Weg, da es die Möglichkeit eines Neuanfangs und die so wichtige Selbstwirksamkeit verhindert.

Welche dramatische Aktualität dieses Thema hat, zeigt die Corona-Krise. Viele Unternehmen und Selbstständige sind durch sie in massive Schwierigkeiten geraten und vielen von ihnen ergeht es inzwischen wie Bert Overlack, der trotz aller Bemühungen sein Unternehmen nicht retten konnte. Die Corona-Krise hat ohne Zweifel noch gravierendere Auswirkungen mit sich gebracht als seinerzeit die Finanzkrise. Schon damals hatte ich den Eindruck, ganz Deutschland stünde still und würde sich davon nicht wieder erholen. Ganze 5 Monate lang kam bei meinem damaligen Arbeitgeber kein einziger Auftrag rein und wir waren damit beschäftigt, die Situation irgendwie abzufangen.

Gegenüber meinem Büro befand sich eine Autoverwertung. Als Angela Merkel die Abwrack-Prämie beschloss, fing es langsam an, voller auf dem Hof des Autoverwertungsunternehmens zu werden, bis sich schließlich die Autos auf den Feldern rund um den Autoverwerter, die dazu eigens angemietet wurden, 5- bis 7-fach in die Höhe stapelten. Niemals hätte ich mir vorstellen können, dass wir rund 10 Jahre später eine Krise mit noch größerem Ausmaß bekommen würden. Schon damals war so gut wie niemand auf die Krise vorbereitet und schon gar nicht auf das Tempo, mit dem die

Auswirkungen einhergingen. Die Folgen der Corona-Krise werden voraussichtlich noch für viele Existenzen auf längere Zeit gravierende Auswirkungen zeigen.

Aber nicht immer muss es gleich um die Existenz von Menschen gehen. Heute weiß man, dass Jobverluste vom Level des Stressempfindens gleich nach dem Verlust des Partners und der Kinder kommen und auch langfristig zu negativen gesundheitlichen Folgen führen können.

Wenn sich ein Unternehmen entschließt, einen Interim Manger einzusetzen, bedeutet das für die Mitarbeiter oft, dass es mit Veränderungen einhergeht, da es meist schon zu einem Austausch der Führungskraft gekommen ist.

Selbst wenn diese Mitarbeiter von ihren Führungskräften nicht nach deren Vorstellungen behandelt oder geführt wurden, löst schon alleine dieser Weggang bei den Mitarbeitern Ängste und Unbehagen aus. Das, was man hatte, kennt man; die Unsicherheit, was kommt, ist für viele noch schlimmer.

Anfang 2010, also direkt nach der Finanzkrise, wechselte ich auf meine erste Werkleiterposition zu einem Automobilzulieferer, der Systemkomponenten für den Antriebstrang herstellte und lieferte. Es hatte mich etwas Überwindung gekostet, da ich mir des Risikos bewusst war, das zu diesen Zeiten mit einem Wechsel verbunden war. Wie sich später herausstellte, ist das ungute Gefühl nicht unbegründet gewesen. Das Unternehmen sollte 1,5 Jahre später verkauft werden und ich machte das erste Mal meine Erfahrung mit einem Betriebsübergang und was es bedeutet, wenn kein Stein auf dem anderen bleibt. Mit meinem Team hatten wir bis zum Zeitpunkt des Betriebsübergangs sehr gute Ergebnisse erreichen können und es bestand ein guter Zusammenhalt. Die Kennzahlen standen sehr gut da. Jeder war motiviert und mit seiner Aufgabe zufrieden. Ich genoss das Vertrauen der meisten Mitarbeiter. Mit meinem Vorgesetzten konnte ich es nicht besser treffen. Er ließ mir den Spielraum, den ich benötigte, und auch auf persönlicher Ebene funktionierte es ebenfalls sehr gut. Eigentlich der perfekte Job! Nach dem Verkauf ging alles sehr schnell, alle Führungskräfte mussten sich einem professionellen und sehr umfangreichen 360°-Assessment unterziehen. Ein Großteil wurde anschließend ausgetauscht und so kam es, dass auch ich einen neuen Vorgesetzten erhielt. Nun war nichts mehr wie vorher; erbrachte Leistungen zählten nicht mehr, sondern es wurde nur darauf geschaut, was noch nicht umgesetzt war. Dabei spielte es keine Rolle mehr, dass wir zuvor erhebliche Produktivitätssteigerungen und Kostensenkungen in kurzer Zeit erreicht hatten, die so vorher undenkbar erschienen und mit denen keiner gerechnet hätte, dass wir sie erreichen würden. Gut funktionierende Teams wurden zerschlagen und neu aufgestellt. Es wurden Entscheidungen getroffen, die wir nicht nachvollziehen konnten, und dringende Investitionen nicht genehmigt, obwohl sie für das Sicherstellen der Lieferversorgung zwingend erforderlich gewesen wären. Aus meiner operativen Sicht war das alles für mich nicht einzuordnen und schon gar nicht zu verstehen. Wir litten quasi unter dieser neuen, für uns nicht zufriedenstellenden Situation. Meinen Stellvertreter traf es noch härter als mich. Ihm fiel es besonders schwer, diese Veränderung zu akzeptieren. Wir waren darauf nicht vorbereitet und konnten dem nichts entgegensetzen. Nach einem weiteren Betriebsübergang und weiteren unzähligen Einschnitten und Veränderungen verlor ich meinen Job. Es handelte sich um den nahezu größten anzunehmenden Super-GAU, den ich mir vorstellen konnte.

Diese nur im Überblick skizzierten Erfahrungen waren für mich in etwa vergleichbar wie die Insolvenz für Bert Overlack. Erst später verstand ich, was geschehen war und wieso ich mit meiner operativen Sichtweise dem nichts entgegenzusetzen hatte. Beim Ziel der Unternehmensverkäufe handelte es sich nicht um die guten Ergebnisse des Unternehmens, sondern der möglichst hohe Gewinn aus den Unternehmensverkäufen, wie mir heute klar ist.

Dieses Ziel steht oft nicht im Einklang mit den Interessen des Unternehmens und deren Mitarbeitern an sich. Was für die betroffen Mitarbeiter kaum zu verstehen ist. Es bedeutet für sie die gleichen

Ängste, Verluste, Veränderungen und das Scheitern wie die erwähnte Insolvenz für Bert Overlack. Hier kann der Bogen zum Thema FuckUp geschlagen werden.

Nicht nur dass meine Erfahrungen mit den Betriebsübergängen mir heute bei meinen Aufgaben als Interim Manager helfen, sondern sie können auch unter Berücksichtigung der Erkenntnisse aus der FuckUp-Philosophie unterstützend sein. Wer sich in die Sichtweise und Wahrnehmung der Mitarbeiter in solchen Situationen hineinversetzen kann, wird auch die Umsetzung des vom Auftraggeber gewünschten Chance-Prozesses besser realisieren können. Was damals für mich einen ungeheuerlichen Vorgang darstellte, erschließt sich mir heute als ganz „normaler" Ablauf, der zur Wirtschaft dazugehört. Die Fähigkeit, dieses ganzheitlich zu berücksichtigen, ist oft die Basis für den Interim Manager.

Es müssen aber auch nicht gleich so weitreichende Folgen von Unternehmensübergängen sein, auch Restrukturierungen und Unternehmensneuaufstellungen können bei den Mitarbeitern ähnliche Effekte hervorrufen. Kompetenzen, die sich aus den geschilderten Erfahrungen ergeben, können hier für die Umsetzung von Veränderungen erforderlich werden. Die „FuckUp"- Philosophie kann bei der Herangehensweise unterstützen und ihren Beitrag leisten.

Den positiven Umgang mit Fehlern, Scheitern und Verlusten in die Tätigkeit des Interim Managers miteinzubeziehen, hilft, auf die betroffenen Mitarbeiter adäquat eingehen zu können.

Die Wissenschaft macht den Umgang mit Fehlern und dem Scheitern vor, Annahmen werden getroffen und wieder über den Haufen geworfen. Forschung ist eine Anreihung von Scheitern, die schließlich zum Erfolg und damit zu Erkenntnissen führt. So lange, bis diese erneut widerlegt werden. Das ist der Kern jeder Forschung. Warum sollte das nicht auch auf andere Bereiche übertragen werden?

9.3.11 Das machen, was „nicht" geht!

Soweit jemand schon einmal versucht hat, etwas Bestehendes zu verändern, wird er unweigerlich gehört haben: „Das geht nicht, weil …!" In einigen Fällen mag das tatsächlich der Fall sein und was zunächst offensichtlich erscheint, stellt sich später oft als deutlich komplizierter heraus, als es vermeintlich war. Dennoch geht oft mehr, als möglich zu sein scheint, und es lassen sich erstaunliche Ergebnisse erzielen, mit denen zuvor nicht gerechnet wurde. Es ist also mehr eine Einstellung, wie die schon weiter oben beschriebene „Null-Fehler-Strategie", als der Glaube, alles würde möglich sein, wenn man nur wolle. Das ist es auch fast, aber eben nur fast. Deshalb sollte das Vorgehen sich an dieser Philosophie orientieren, ohne dabei verbissen aussichtslose Ziele zu verfolgen. Dies zu unterscheiden, dürfte wohl die wesentliche Herausforderung darstellen. Generell sollte aber gerade das, was scheinbar nicht möglich ist, im erhöhten Maß verfolgt werden, da im Besonderen hier wichtige Ansätze liegen und an dieser Stelle oft versäumt wurde, sich mit der eigentlichen Lösung eines Problems auseinanderzusetzen. Der Hinweis „Es geht nicht." ist also ein guter Wegweiser für einen effektiven Lösungsweg. Wichtig dabei ist, dass Personen, die diese Aussage tätigen und es ernsthaft in der

Vergangenheit versucht haben, oft tatsächlich dieser Überzeugung sind, da sie verständlicherweise ihre Gründe dafür haben.

Niemand darf also für diese Aussage verurteilt werden, vielmehr ist in so einem Fall viel Überzeugungsarbeit nötig und eine gewisse Hartnäckigkeit, um diese Mitarbeiter zum Mitmachen zu bewegen. Es muss versucht werden, ihnen neue Blickwinkel aufzuzeigen. Nicht immer ist dafür ausreichend Zeit vorhanden und zugegeben, es gehört schon eine Menge Geduld und Frustrationstoleranz dazu, sich immer wieder neutral und unvoreingenommen darauf einzulassen. Dennoch lohnt sich dieser Aufwand, da sich so unnötige Spannungen reduzieren lassen, die andernfalls ein Weiterkommen in der Sache behindern würden.

Soweit eine Lösung für eine Problemstellung noch nicht gefunden wurde, ist der Weg der Lösungsfindung nur noch nicht zu Ende gegangen worden. Dies zu verdeutlichen, ist wichtig; ein Mitarbeiter könnte sich andernfalls schnell als bloßgestellt betrachten und so gegen die angestrebte Lösung arbeiten, was oft auch verdeckt geschehen kann. Eine Einbindung in den Prozess ist unabdingbar. Nur in seltenen Fällen sollte ein Mitarbeiter ausgeschlossen werden, wenn eine Überzeugung nicht gelingen kann. Dies ist immer dann der Fall, wenn ein Mitarbeiter sich klar gegen eine Zusammenarbeit entschieden hat. Leider ist dies nicht ganz auszuschließen.

Hier zwei Fallbeispiele von scheinbar nicht umsetzbaren Herausforderungen, die ich dafür immer wieder gerne heranziehe:

Zunächst zu einem Beispiel von einem Unternehmen, bei dem ein sehr schädlicher Gefahrstoff für mehrere Jahrzehnte zum Einsatz gekommen ist. Es gab bereits einige Versuche, diesen Gefahrstoff zu eliminieren. Bei dem Gefahrstoff handelte es sich um eine giftige Form von Alkohol, der zum Reinigen bestimmter Anlagen verwendet wurde. Der letzte erfolglose Versuch, diesen Stoff auszutauschen, lag bereits ein paar Jahre zurück. Ein Fachmann eines spezialisierten Instituts hatte eine Untersuchung durchgeführt, die zu dem Schluss kam, dass es keine Alternative zu dem eingesetzten Stoff gab. So wurde der Gefahrstoff zwangsläufig weiterhin eingesetzt. Durch eine Verschärfung der Richtlinie für den Umgang mit Gefahrstoffen kam dieses Thema wieder in den Fokus. Es war mir ohnehin schon länger ein Anliegen, diesen Stoff auszutauschen, doch jeden, den ich dazu um Hilfe bat und befragte, versicherte mir, dass es nicht möglich sei, einen Ersatz zu finden. Als Begründung hielt jedes Mal die zuletzt durchgeführte Untersuchung her. Die Aussage war stets: „Wenn dies schon ein Spezialist sagt, dann wird es wohl stimmen!" Um es vorweg zu nehmen, es stimmte in der Form nicht.

Wie kam es also dazu? Die Anlagen, die zu reinigen waren, mussten von Verunreinigungen durch Farbreste befreit werden. Für die verwendete Farbe gab es ein entsprechendes Sicherheitsdatenblatt, aus dem nicht nur sicherheitsrelevante Informationen hervorgehen, sondern auch wichtige Hinweise zu den Eigenschaften des Stoffes. Daraus war zu entnehmen, dass die verwendete Farbe alkohollöslich sei, was nahe lag, da bereits der genannte Alkohol zur Reinigung verwendet wurde. Warum jetzt ausgerechnet diese giftige Form des Alkohols Verwendung fand, war daraus nicht zu ersehen. Also beauftragte ich einen meiner Meister aus meiner Abteilung, an einer der besagten Anlagen, bei der dieser Stoff verwendet wurde, einen Versuch durchzuführen. Aber trotz mehrerer Aufforderungen kam er meiner Bitte nicht nach, da es ja ohnehin nicht funktionieren würde und es somit keinen Sinn ergab, diesen Versuch durchzuführen. Schließlich führte ich den Versuch selbst durch mit dem Ergebnis, dass es einwandfrei funktionierte und die Farbreste sich entfernen ließen. So verwendete ich eine wesentlich unbedenklichere Form des Alkohols, der bereits in der Industrie genutzt wurde. Innerhalb einer Woche konnte der gefährliche Gefahrstoff im Unternehmen auf diese Weise eliminiert werden. Es blieb für selten auftretende Anwendungen noch ein kleiner Bedarf bestehen. Allerdings fand der Gebrauch lediglich noch durch speziell geschultes Personal statt. Ausschließlich dieser Personenkreis war fortan der einzige, der überhaupt noch Zugang erhielt.

Ein weiteres Beispiel für die Umsetzung scheinbar unmöglicher Vorhaben handelt von der Auslegung einer Produktionslinie nach Lean-Gesichtspunkten. Die jeweiligen Fertigungsstufen waren von der Taktzeit und von den Verfahren her sehr unterschiedlich, was die Aufgabe erschwerte. Generell hatte ich ein erfahrenes Team, das dem Thema auch vergleichsweise offen gegenüberstand. Die Aufgabe erschien uns allerdings zunächst als nicht umsetzbar. Es gelang mir aber, die Mitarbeiter dazu zu bewegen, sich auf einen Versuch einzulassen und die Umsetzung ernsthaft anzugehen.

Die Taktzeiten ließen sich mit etwas Aufwand so weit angleichen, dass es von dieser Seite umsetzbar wurde. Am Schluss blieb allerdings noch die Hauptherausforderung. Es ging um zwei Prozesse, die nicht miteinander vereinbar schienen. Der erste Prozess benötigte den Einsatz von Industriebenzin, um die Bauteile in die Anlage einzulegen. Der darauffolgende Prozess benötigte den Einsatz von offenem Feuer, um das Produkt weiterverarbeiten zu können. Es braucht wohl nicht erwähnt zu werden, welches explosive Potenzial diese Kombination mit sich brachte. Schnell war für alle klar: „Das lässt sich nicht umsetzen."

So schien es zumindest, außer einer der beiden kritischen Prozesse hätte auf die neue Vorgehensweise umgestellt werden können. Aber welchen Sinn ergab es, soweit der Verzicht auf das Feuer als zentraler Prozessschritt eher unwahrscheinlich war? Also blieb noch das Eliminieren des Industriebenzins als Hilfsstoff. Das Benzin wurde als Gleitmittel verwendet und war bislang ebenfalls unverzichtbar. So stellten wir also ein Team zusammen, das sich dieser Aufgabe stellte. Am Ende fanden wir eine Lösung, die es ermöglichte, ohne Industriebenzin die Bauteile einzulegen, und das mit weitreichenden Auswirkungen. Es handelte sich um eine Vorgehensweise, die über viele Jahrzehnte gängige Praxis gewesen ist. Innerhalb von kurzer Zeit konnte nun auf diesen nicht unproblematischen Gefahrstoff verzichtet werden, da das neue Konzept zum neuen Standard erklärt wurde. Nicht alle Bestandsprozesse konnten umgestellt werden, aber ein Großteil und alle neuen Projekte wurden nun auf das neue

Vorgehen angepasst. Die Kosten konnten so gesenkt und der Arbeitsschutz durch das Eliminieren des Gefahrstoffs erhöht werden. Das neue Fertigungskonzept, das zuvor als nicht umsetzbar erschien, konnte nun mit allen seinen Vorteilen realisiert werden.

Sicherlich kennen Sie vergleichbare Gegebenheiten, bei denen Sie ähnliche Erfahrungen gemacht haben. Konsequent an den richtigen Stellen dranzubleiben, und das immer wieder und beständig, führt über viele Einzelschritte zu einer nachhaltigen Verbesserung und das oft schon nach kurzer Zeit. Damit ist dies eine der wesentlichen Herangehensweisen, um Veränderungen zu realisieren. Das zu machen, was nicht geht, macht den Unterschied!

10 Zusammenfassung und Handlungsempfehlung

Interim Management ist ein weites Feld, das für Unternehmen und Interim Manager viele Chancen bietet. Interim Manager müssen sich immer wieder aufs Neue in einem wechselnden Umfeld behaupten. Erreichte Erfolge helfen dem Interim Manager allenfalls, sich für neue Aufträge zu empfehlen. Jedes Mandat bringt wieder neue Herausforderungen mit sich, für die es kaum wiederverwendbare Lösungen gibt. Es geht dabei um das komplexe Zusammenspiel unterschiedlicher Anforderungen und die Ressourcen, die dafür erforderlich sind. Gewisse Abläufe und Vorgehensweisen können übertragen werden und wiederholen sich. Der weitaus größere Teil erfordert allerdings ein hohes Maß an Flexibilität und die Bereitschaft, Unsicherheiten auszuhalten und sich ihnen zu stellen.

Diesen Zusammenhang habe ich versucht, an vielen Praxisbeispielen zu verdeutlichen. Interim Management hat unbestreitbar auch Grenzen, kann aber wichtige und nachhaltige Impulse setzen und auf diese Weise einen wesentlichen Beitrag für einen Veränderungsprozess und Innovationen leisten. Nicht zuletzt durch die Unabhängigkeit eines Interim Managers können deutliche Akzente gesetzt werden. Sie ermöglicht ihm andere Handlungsmöglichkeiten und Herangehensweisen als einem internen Mitarbeiter. Der externe Blick mit dem breit aufgestellten Wissen und dem umfangreichen Erfahrungshintergrund, welche die Tätigkeit als Interim Manager mit sich bringt, ist dabei sehr hilfreich.

Der Faktor Mensch nimmt den wesentlichen Teil dieses Buches ein. Meiner Überzeugung nach liegt hier, neben dem Thema der Digitalisierung und künstlicher Intelligenz, nach wie vor noch das größte Potenzial für das weitere Wachstum der Unternehmen und damit des gesellschaftlichen Wohlstands. Da Wachstum mit den dafür erforderlichen Ressourcen in der Form, wie wir es heute kennen, aktuell seine Grenzen findet, müssen hier neue Perspektiven gefunden werden. Aus meiner Sicht gehört dazu, Wachstum neu zu definieren. Das materielle Wachstum kann dabei durch andere Werte und

Formen abgelöst werden. Das Erhöhen von Qualifikationen und damit dem Verständnis von komplexen Zusammenhängen könnte als ein Beispiel für das neue Wachstum betrachtet werden. Es kann die Basis für die vielschichtigen Herausforderungen, die in Wirtschaft und Gesellschaft in Zukunft zu bewältigen sind, darstellen.

Der Führungsstil und wie Führungskräfte ihre Mitarbeiter behandeln, spiegeln die Werte einer Gesellschaft wider und wirken sich unweigerlich auf den Zustand der Gesellschaft aus. Vermeintlichen Stärken und Schwächen auf eine wertschätzende Art und Weise zu begegnen und diese „Stärken und Schwächen" als das zu sehen, was sind: unterschiedliche Eigenschaften von Menschen. Eigenschaften, die weder gut noch schlecht sind. Der den Fähigkeiten entsprechende Einsatz der Mitarbeiter durch die Führungskraft entscheidet darüber, ob ein Mitarbeiter sein Potenzial entfalten kann oder nicht. Der Mitarbeiter selbst hat hier deutlich weniger Einfluss, als es vermuten lässt.

Soweit ein Sportwagen für den Gebrauch auf gut ausgebauten Straßen Verwendung findet, wird er eine beeindruckende Performance erbringen. Wenn das gleiche Fahrzeug abseits der Straßen eingesetzt wird, dürfte es dafür ungeeignet sein und scheitern. Niemand würde auf die Idee kommen, den Sportwagen dann als schlechtes Auto zu bezeichnen. Der Fahrer ist für den Einsatz verantwortlich. Oder um es mit Albert Einsteins Worten zu sagen: *„Jeder von uns hat ein unglaubliches Potenzial! Aber wenn ein Fisch daran gemessen wird, wie gut er auf einen Baum klettern kann, wird er immer denken er wäre dumm."*

Ich wünsche mir deshalb Führungskräfte, die den Mut aufbringen, sich für starke Mitarbeiter zu entscheiden. Herrschaftswissen gehört der Vergangenheit an. Autoritäre Führung ist eine der wesentlichen Ursachen von Insolvenzen *(Bert Overlack, 2018)*. Diese Art der Führung dort zu lassen, wo sie hingehört, in die Vergangenheit, stellt damit also einen wichtigen Wirtschaftsfaktor zur Zukunftssicherung der Unternehmen dar. Vertrauen ist für eine effektive Zusammenarbeit und damit für gute Ergebnisse von dauerhaft erfolgreichen Unternehmen unerlässlich. Kooperative Führung schließt konsequentes Handeln nicht aus, ganz im Gegenteil! Es beinhaltet außerdem den konstruktiven Umgang mit Fehlern und dem Scheitern, damit daraus Neues entstehen kann. Krisen fordern das wichtigste vom Menschen, was er zu bieten hat, seine Empathie, Kreativität und Flexibilität. Diese Fähigkeiten gilt es, für alle Herausforderungen, die sich Unternehmen gegenübersehen, zu nutzen, und das vom gesamten Team ohne Ausnahme, anstatt nur von einzelnen Führungskräften bzw. dem Management.

11 Schlussbetrachtung und Ausblick

Irgendwann muss entschieden werden, ein Ergebnis, in diesem Fall das vorliegende Buch, so zu belassen, wie es ist. Es muss akzeptiert werden, dass es weder perfekt noch vollständig ist und auch nicht sein kann. Perfektion und Vollständigkeit würden einen beliebig hohen Zeitaufwand erfordern und damit das Erscheinen des Buches verhindern. Auch vom Umfang wäre es irgendwann nicht mehr sinnvoll und damit für den Leser zunehmend uninteressant.

Auf der einen Seite wird durch diese Begrenzung der rote Faden erhalten und auf der anderen Seite bedingt es ein hohes Maß an Kreativität, die ein Stück weit auch dem Zufall unterworfen ist. Jede Struktur hat ihre Grenzen, gibt aber die Richtung vor, innerhalb derer sich diese Kreativität bewegt, wenn Neues entsteht.

Zu Beginn bin ich auf das Buch des Lebens eingegangen. Auch ein Leben endet immer unvollkommen. Irgendwo habe ich einmal gelesen: „Je erfüllter ein Leben war, desto unvollendeter ist es" (Quelle unbekannt). Leider ist mir die Quelle nicht mehr bekannt und ich muss dieses Zitat ohne Quellenangabe so stehen lassen. Aber es beschreibt sehr schön das Motto dieses Buches und was es transferieren möchte. Das betrifft nicht nur den Inhalt.

Vieles, was ich evtl. gerne noch erwähnt hätte, konnte ich nicht aus den Tiefen meines Geistes aktivieren und hervorholen. Vielleicht findet es seinen Weg in späteren Auflagen. Somit ist dieses Buch wie alles auf diesem Planeten unvollkommen und wartet darauf, stetig weiter verbessert zu werden. Für mich war das Schreiben nicht nur eine interessante Herausforderung, sondern stellte auch eine spannende Reise mit vielen Erfahrungen dar, die mich persönlich bereichert haben. Nicht zuletzt durch die Menschen, die ich dadurch kennenlernen durfte, und das Wissen, das ich auf diese Weise erlangt habe.

Zum Schluss bleibt mir nur noch, mich für Ihr Interesse und Ihre Geduld zu bedanken! Es ist auch eine Form von Wertschätzung, wenn jemand die Aufmerksamkeit bis zum Ende aufgebracht hat, für die ich sehr dankbar bin. Ich hoffe, ich konnte Ihnen hilfreiche Anregungen geben und Sie motivieren, an Veränderungen im positiven Sinn mitzuwirken oder sie anzustoßen. Die ständige Weiterentwickelung treibt den Menschen an und macht ihn zu dem, was er ist. Der menschliche Geist erlaubt uns hohe Flexibilität und uns immer wieder auf neue Herausforderungen einzustellen, soweit wir bereit sind, das zuzulassen.

Bei aller Sorgfalt können Fehler nicht vollständig ausgeschlossen werden. Hierfür kann keine Gewähr übernommen werden. Für Hinweise und Anregungen bin ich Ihnen sehr dankbar!

12 Quellenangaben und Literatur

- Bandura A. (2013), *The role of self-efficacy in goal-based motivation.* In E.A. Locke & G. P. Latham (Hrsg.), *New developments in goal settings and task performance*, New York, NY: Routledge.

- C.-R. Weisbach, P. Sonne-Neubacher (2013), *Professionelle Gesprächsführung, Ein praxisnahes Lese- und Übungsbuch*, Deutscher Taschenbuch Verlag GmbH & Co KG München.

- David G. Myers (2004, 2008), *Psychologie*, Springer Medizin Verlag Heidelberg.

- Elisabeth Kübler-Ross (2018), *Interview mit Sterbenden*, Verlag Herder GmbH, Freiburg im Breisgau.

- Friedemann W. Nerdinger, Gerhard Blickle, Niclas Schaper (2008, 2011, 2014, 2018), *Arbeits- und Organisationspsychologie*, Springer Verlag GmbH Deutschland.

- Kabat-Zinn, J. (1990) *Gesund und Stressfrei durch Meditation.* Wien: Bertelsmann.

- Leontjew, A. N. (1977), *Probleme der Entwicklung des Psychischen*, Kronberg: Athenäum.

- Mike Rother und John Shook (2011) *Sehen Lernen*, Lean Management Institut.

- Neuberger, O. (1974), *Theorien der Arbeitszufriedenheit*, Stuttgart: Kohlhammer.

- Richard J. Gering, Philip G. Zimbardo (2008), *Psychologie*, Pearson Deutschland GmbH.

- Sabine Raeder, Gudela Grote (2012) *Der psychologische Vertrag (Praxis der Personalpsychologie. Band 26).* 1. Auflage. Göttingen: Hogrefe.

- Stajkovic, A. D. & Luthans, F. (1998), *Self-efficacy and work-related performance: A meta-analysis Psychological Bulletin.*

- Tversky, A.; Kahneman, D. (1974). *„Judgment under uncertainty: Heuristics and biases"*. Science, 185.

- Werth, L.; Maxer, J. (2008). *Sozialpsychologie*, Heidelberg: Spektrum Akademischer Verlag.

- Smith C. A., Organ, D. W., & Near, J. P. (1983). *Organizational citizenship behavior: Its nature and antecedents.* Journal of Applied Psychology, 68.